糖尿病食事療法のベストチョイス

「緩やかな糖質制限」ハンドブック 3版

編著 山田 悟 北里大学北里研究所病院 副院長・糖尿病センター長

謹 告

本書に記載されている事項に関しては，発行時点における最新の情報に基づき，正確を期するよう，著者・出版社は最善の努力を払っております。しかし，医学・医療は日進月歩であり，記載された内容が正確かつ完全であると保証するものではありません。したがって，実際，診断・治療等を行うにあたっては，読者ご自身で細心の注意を払われるようお願いいたします。

本書に記載されている事項が，その後の医学・医療の進歩により本書発行後に変更された場合，その診断法・治療法・医薬品・検査法・疾患への適応等による不測の事故に対して，著者ならびに出版社は，その責を負いかねますのでご了承下さい。

第3版　序文

2014年5月に『「緩やかな糖質制限」ハンドブック』の初版を上梓した頃，日本では糖質制限食はまだまだ普及していませんでした。米国糖尿病学会ですら，2013年に糖質制限食を完全に認めたばかりという時代だったのです。実際，日本における糖質制限食についての最初の無作為化比較試験を私たちが発表したのが，まさに2014年のことでした(Intern Med 53:13-9, 2014)。日本における糖質制限食導入の時期だったのです。

2018年1月に第2版を上梓した頃には，日本においても各地で糖質制限食を学びたいという先駆的な医療従事者が立ち上がってくださり，まさに日本全国に糖質制限食が普及しはじめようとしていた時代でした。また，その一方で，様々な糖質制限食の在り方が模索され，一言で糖質制限食と言っても，あちらの医療機関とこちらの医療機関とで言っていることが異なるということがありうる時代でした。実際，日本における糖質制限食についての2本目の無作為化比較試験を順天堂大学のグループが発表したのが2017年のことでしたが，彼らが採用した糖質制限食は明らかに極端なエネルギー制限食にもなっており，私たちの勧める「緩やかな糖質制限」＝私たちの求める「誰もが楽しくて続けたくなる治療法」とは内容が異なっていました(Clin Nutr 36:992-1000, 2017)。糖質制限食の日本人への適応のための暗中模索の時期だったと言えましょう。

そして，今，糖質制限食は完全に普及しました。すでに，多くの商品に「緩やかな糖質制限＝ロカボ」に合致することを示すロカボマークが付与され，消費者がロカボマークを見て食品を購入する時代になったのです。逆に，これからはどんな医療従事者も糖質制限食を知らないというわけにはいかなくなったと感じています。

序文

2022年1月，第3版を上梓します。これまでの『「緩やかな糖質制限」ハンドブック』（初版，第2版）が，先駆的な医療従事者が自発的に手に取っていただくための書籍だったとすると，今回の第3版は，善良な医療従事者が患者に求められて糖質制限を指導する際に頼りとしていただくための書籍です。この書籍を通じ，科学的に無意味な制限食を指導されて苦しんできた患者や，そのような患者に寄り添おうとしてやはり悩んできた医療従事者がいずれも解放され，ともに美味しく楽しく食べて健康になれる治療食を享受できるようになることを確信しています。

2022年1月吉日　編者

初版　序文

ここ20年以上，わが国の糖尿病治療においては，エネルギー制限食のみがその意義を強調されてきました。また，最近では，三大栄養素比率についても細かな指示がなされるようになってきました。しかし，多くの患者さんが，実際の生活の中でエネルギー制限を実行できず，また，細かな栄養素比率の把握もできず，日々の治療に頭を悩ませています。

実践できない患者さんを"アドヒアランスの悪い患者さん"と位置づけてしまうことは簡単ですが，"ある治療法をできない患者さんでも，別の治療法ならできるかもしれない"と考えることも必要ではないでしょうか？

北里研究所病院糖尿病センターでは，治療法を遵守できない患者さんに問題があるのではなく，患者さんが遵守できないような治療法のほうに問題があると考えることを試み，「誰もが楽しくて続けたくなる治療法」を模索しています。

そんな中でたどり着いた1つの答えが"緩やかな糖質制限食"です。その一方で，糖質制限食については様々な批判があったという歴史的な事実を私たちは認識していますし，また，現在でも，極端な糖質制限食に対しては医学的な課題が残されていることも理解しています。私たちが，本書で読者の先生方にお伝えし，日々の臨床に取り入れて頂きたいのは，あくまでも"緩やかな糖質制限食"です。

"緩やかな糖質制限食"は，患者さんにとって「安全で」「有効で」「楽しく」「続けたくなるような」治療食です。また，医療スタッフにとっては「具体的で」「指導しやすく」「患者さんとともに考えられるような」治療食です。

本書を通じて多くの医療機関の治療食として"緩やかな糖質制限食"が採用され，多くの患者さんが幸せな糖尿病療養生活を実現されることを願ってやみません。

2014年4月　編者

増刷にあたり，腎機能障害患者へのDPP-4阻害薬の投与（61頁）についてアドバイスを頂きました府中よつやクリニック・市川　雅先生に深謝致します。

2014年6月　編者

目次

基本編 — 1

1章 なぜ，「緩やかな」糖質制限食なのでしょうか? — 2

1. 糖尿病食事療法の課題 — 2

2. ますます高まる糖質制限食への評価 — 4

3. 極端な糖質制限食 — 9

コラム 食事療法に対する概念にショックを与えた患者さん — 11

2章 糖質制限食のエビデンス — 12

1. 糖質制限食にポジティブなエビデンス — 12

2. 糖質制限食にネガティブな欧米の観察研究データ — 18

3. 糖質制限食にポジティブな日本・東アジアの観察研究データ — 21

4. 英米のガイドラインにおける糖質制限食の位置づけ — 22

5. 「緩やかな」糖質制限食の定義 — 23

3章 三大栄養素の代謝と糖質制限食の関わり — 24

1. 糖質の摂取，合成，代謝 — 24

2. 蛋白質の摂取，合成，代謝 — 27

3. 脂質の摂取，合成，代謝 — 28

4. 三大栄養素のシグナル分子としての意義 — 30

5. 糖質制限と体組成の恒常性 — 31

目次

実践編 ——————————————————————————— **33**

4章 「緩やかな」糖質制限の実際 ——————————————— **34**

1. 栄養指導の進め方 ———————————————————— **34**

2. 主食の糖質を少なくして満足感を得る工夫 ——————— **39**

3. 外 食 ————————————————————————— **40**

4. 間 食 ————————————————————————— **42**

5. シチュエーションに応じた実行例（簡単に早く実行するには） —— **43**

6. 果物の血糖値への影響 —————————————————— **43**

7. アルコール飲料の糖質量 ————————————————— **44**

8. 人工甘味料 —————————————————————— **44**

9. 継続困難の主な理由 ——————————————————— **44**

5章 「緩やかな」糖質制限の適応 ——————————————— **46**

1. 適 応 ————————————————————————— **46**

2. 不適応の解除 ————————————————————— **47**

6章 薬剤との併用 ————————————————————— **51**

1. 2型糖尿病の病態と治療戦略 —————————————— **51**

2. 糖質制限食 —————————————————————— **57**

3. 糖尿病治療薬の種類と糖質制限食における注意点 ———— **57**

4. 1型糖尿病の病態と治療戦略 —————————————— **71**

7章 糖質制限指導事例 ——————————————————— **73**

1. 初期指導のポイント ——————————————————— **73**

2. 2回目以降の指導：食事相談 —————————————— **73**

目次

8章 糖質制限患者指導Q&A ———— 116

Q1 「緩やかな」糖質制限食はどんな三大栄養素比率になるのか？ ———— 116

Q2 糖質制限食ではエネルギーオーバーにならないか？ ———— 116

Q3 糖質制限食では脂質を増やすのか，タンパク質を増やすのか？ ———— 116

Q4 北里研究所病院における糖質制限とは？ ———— 117

Q5 病院食への導入方法は？ ———— 118

Q6 糖質制限の指導が困難な症例とは？ ———— 118

Q7 シックデイ時の対処方法は？ ———— 119

Q8 糖質制限時の運動療法は？ ———— 120

Q9 定時に生じる低血糖への対処方法は？ ———— 120

Q10 1食40gの糖質とはどのくらいか？ ———— 121

Q11 内臓脂肪を減らすにはどうしたらよいか？ ———— 121

Q12 HbA1cや血糖値が正常に戻ったら，糖質を摂ってもよいか？ ———— 121

Q13 糖質は太る原因となるのか？ ———— 121

Q14 肉が好きな場合，タンパク質として肉ばかり食べてもよいか？ ———— 122

Q15 食べる時間はいつでもよいか？ ———— 122

Q16 いくら食べてもよいか？ ———— 122

Q17 食事の回数は3回でないとならないのか？ ———— 122

Q18 便秘になってしまうが，どうしたらよいか？ ———— 122

Q19 LDL-コレステロールが高い場合はどうしたらよいか？ ———— 122

Q20 「糖質が少ない」と勘違いしやすい食材は何か？ ———— 123

資料 ———— 125

糖質制限食の献立例 ———— 125

食品の糖質量一覧 ———— 137

索引 ———— 149

執筆者一覧

山田 悟　北里大学北里研究所病院 副院長・糖尿病センター長

入江潤一郎　慶應義塾大学医学部 腎臓内分泌代謝内科 准教授

真田真理子　北里大学北里研究所病院 糖尿病センター

畑 妃咲　北里大学北里研究所病院 糖尿病センター

山田善史　山善内科クリニック 院長

塚本洋子　北里大学北里研究所病院 看護部 主任（糖尿病看護認定看護師）

本書の初版，第2版で「「緩やかな」糖質制限の実際」および「糖質制限患者指導Q&A」を分担執筆して頂いた内田淳一先生（食糧学院東京栄養食糧専門学校 教育部）に感謝致します。

基本編

基本編

1章 なぜ，「緩やかな」糖質制限食なのでしょうか？

1 糖尿病食事療法の課題

(1) エネルギー制限食は目的が定まっていない

■ 2型糖尿病の治療は「1に食事，2に運動，3，4がなくて5に薬」と言われるように，食事療法，運動療法，薬物療法の3つが存在します。そのうち最も大切なのが食事療法で，糖尿病治療の基本であり，出発点となります。

■ 一般に糖尿病食事療法として勧められてきたのが，エネルギー制限食（俗にカロリー制限食とも呼ばれますが，ここではエネルギー制限食と呼称します）です。糖尿病診療ガイドライン2019（日本糖尿病学会：糖尿病診療ガイドライン2019. 南江堂, 2019. p31-55）や糖尿病治療ガイド2020-2021（日本糖尿病学会：糖尿病治療ガイド2020-2021. 文光堂, 2020. p48-51）においては，以下の計算式で求めた値を総エネルギー摂取量として処方することが勧められています。

総エネルギー摂取量＝目標体重×エネルギー係数
　　　　　　　　　　＝身長（m）×身長（m）×22×エネルギー係数
エネルギー係数（kcal／kg）
　　　＝25～30：軽い労作（大部分が座位の静的活動）
　　　＝30～35：普通の労作（座位中心だが通勤・家事，軽い運動を含む）
　　　＝35～：重い労作（力仕事，活発な運動習慣がある）

■ なお，前述の糖尿病診療ガイドライン2019（p31-55）には，この糖尿病の食事療法の目的の記載がありますが，不明瞭です。p31においては（直接的な血糖の改善ではなく）肥満のある場合には肥満の解消にあると記載し，p34においては（肥満の有無の別なく）良好な代謝状態の維持にあるとされています。しかし，この記述には3つの点で問題があります。まず第一に，（食事療法も含めて，そもそもの）糖尿病治療の目的は"高血糖に起因する代謝異常を改善することに加え，糖尿病合併症や併発症の予防を介して健常者に劣らぬ生命予後や生活の質（quality of life：QOL）を達成することにある"（日本糖尿病学会：糖尿病診療ガイドライン2019. 南江堂, 2019. p21），あるいは"血糖・血圧・体重・

脂質の適正化を通じて，合併症を予防し，その先で健常者に劣らぬ生命予後やQOLを達成することにある"(日本糖尿病学会：糖尿病治療ガイド2020-2021. 文光堂，2019. p31) と糖尿病治療の総論に記載されているのです。それは食事療法とて同じはずです。肥満の解消を第一義としたり，高血糖の改善もなしに良好な代謝状態の維持を目的としたりすることなどできないはずです。第二に，Look AHEAD研究(N Engl J Med 369：145-54, 2013) の5年目以降の経過から，肥満の是正が必ずしも高血糖をはじめとする代謝状態の改善に有効ではないことが明らかにされています。そして，第三に，J-DOIT3研究(Lancet Diabetes Endocrinol 5：951-64, 2017) のBMIの経過から，摂取エネルギーを制限させる指導は，3年もするとかえって体重を増やしてしまう(つまり，摂取エネルギーを増加させてしまう)ことが明らかにされているのです。

（2）エネルギー制限食は過酷で危険？

- その一方で，日本人の糖尿病の患者さんのエネルギー消費は現在の体重1kg当たりで36.5±5.0kcalであることを私たちも参画した多施設共同研究が明らかにしました(J Diabetes Investig 10：318-21, 2019)。そう考えると，肥満でないデスクワーカーに目標体重×30～35kcal/kgのエネルギーしか摂取させないというのはかなり過酷だとわかります。だからこそ，J-DOIT3研究において誰しもがエネルギー制限食を遵守できず，それどころかリバウンドしてかえって体重を増加させてしまったのでしょう。

- もし，エネルギー制限食を遵守できた場合に何が起こるかを示した研究としては，CALERIE試験があります。この研究は，非肥満者に対するエネルギー制限食の有効性や安全性を検証した最長の(と言っても，2年間の)無作為化比較試験ですが，この試験において2年間，元来の摂取エネルギー量を88%にしただけで，骨密度の低下(J Bone Miner Res 31：40-51, 2016) や筋肉量の減少(Am J Clin Nutr 105：913-27, 2017) が生じることが示されました。実は，非肥満者に対するエネルギー制限で低栄養(栄養失調) の問題を回避する方法はまだ開発されていないということなのです。

（3）三大栄養素比率のエビデンスの欠如

- 現在の糖尿病診療ガイドライン2019には，エネルギー制限に続いて三大栄養素比率の記載があり，「炭水化物を50～60%エネルギー，タンパク質を20%エネルギー以下を目安とし，残りを脂質とする」ことを一定の目安としてよいと記載されています(日本糖尿病学会：糖尿病診療ガイドライン2019. 南江堂，2019. p31-55)。

- 一方，米国糖尿病学会では，この10年間，理想的な三大栄養素比率は存在しないとしています(Diabetes Care 36：3821-42, 2013)。その上で，糖質制限食が最も血糖管理の改善に対してエビデンスがあるとしています(Diabetes Care 42：731-54, 2019)。日本人に限定したシステマティックレビューを私たちは実施していますが，この研究で採用

された論文はすべて糖質制限食が血糖管理の改善に有効であることを示していました（Nutrients 10：1080, 2018）。よって，上記の比率を糖尿病患者さんに勧めるのは科学的にはあまりに乱暴なことだと言えます。

- 日本糖尿病学会は2013年に日本人の糖尿病の食事療法に関する提言（http://www.jds.or.jp/modules/important/index.php?content_id=40）を行っており，その折，「日本人の病態と嗜好性に相応しい食事療法」を求めていますので，必ずしも欧米のガイドラインと合致していなくても悪いことではありません。ただしその一方で，「食事療法の有効性・安全性についてのモニター」の必要性も述べています。

- そこで，現在の糖尿病診療ガイドラインの「食事療法」の項で日本人についての食事療法の研究論文を探してみると，以下の5本の論文しかありません（表1）。

- ここから言えることは，「非肥満のデスクワーカーに標準体重×30〜35」でエネルギー処方をすることも，「炭水化物を50〜60％エネルギー，タンパク質を20％エネルギー以下を目安とし，残りを脂質とする」と三大栄養素比率を設定することも，いずれも何ら科学的な根拠はないということです。

- 読者の先生方におかれましては，ガイドラインにも記載されているように，患者さんの状況に応じて，自信を持って柔軟な対処をして頂きたい（科学的な根拠もないのにエネルギー制限食指導をして患者さんを苦しめないでほしい）ということです。

② ますます高まる糖質制限食への評価

(1) 脂質制限の退場

- 2015年に改訂された米国食事ガイドラインは，過去40年間推奨されてきた脂質制限を放棄しました。それまでは，脂質制限により脂質異常症や肥満症が改善され，動脈硬

表1 糖尿病診療ガイドライン2019に採用された日本人を対象にした食事療法の研究論文

著者	研究デザイン	対象	食事内容	比較対照	アウトカム	結果
村本ら*	前後比較	特定保健指導対象者	カロリー制限＋運動指導	なし	HbA1c	改善あり
Satoら	無作為化比較	糖尿病患者	糖質制限	カロリー制限	HbA1c	糖質制限が優越
Satoら	上記フォロー	糖尿病患者	糖質制限	カロリー制限	HbA1c	差異なし
Yamadaら	無作為化比較	糖尿病患者	糖質制限	カロリー制限	HbA1c	糖質制限が優越
Imaiら**	無作為化比較	糖尿病患者	食べ順	カロリー制限	HbA1c	食べ順が優越

＊前後比較試験は通常ガイドラインに採用される研究デザインではなく，また，運動指導も同時に行っているので厳密には食事療法の研究とは言えない。また，特定保健指導におけるエネルギー制限では，ベースラインのエネルギー摂取から1日140kcal減じる指導が標準的とされており，標準体重をもとに1日のエネルギー摂取量を決定する食事法は本研究では検証されていない
＊＊本研究では食べ順に加えて，1回当たり20回以上の咀嚼をする，低GI（Glycemic Index）な食材を選ぶようにする，といった指導がなされており，必ずしも食べ順指導のみの効果とは言えない

化症予防につながるとされていたのですが，このガイドラインにおいては総脂質摂取量の制限は肥満症の予防や動脈硬化症の危険因子の改善につながらないとされたのです (JAMA 313：2421-2, 2015)。実際，2013年に報告されたPREDIMED試験では1日に30gのナッツ（くるみ15g，ヘーゼルナッツ7.5g，アーモンド7.5g）を摂取する，あるいは週に1Lのエクストラ・ヴァージン・オリーブ油を摂取するよう指導を受けた地中海食群は，脂質制限指導を受けた対照群に比較して30％も心臓病や脳卒中を減らしました (N Engl J Med 368：1279-90, 2013)。

- 一方，動物性脂肪と呼ばれることもある飽和脂肪酸を減らす介入をしたシドニーのグループが行った無作為化比較試験では，飽和脂肪酸をn-6系多価不飽和脂肪酸（植物性油脂と呼ばれることもあります）に変更することで，かえって心臓病や死亡率が増えてしまいました (BMJ 346：e8707, 2013)。

- これとまったく同じようなデータがミネソタのグループからも報告されています。ミネソタのデータでは，飽和脂肪酸を減らすことで特に死亡率が上昇してしまったのが65歳以上の人たちでした (BMJ 353：i1246, 2016)。わが国の高齢者の中には，「私はもう年寄りだからお肉は食べられない」などとおっしゃる方もおられますが，それではいけません。高齢者ほど肉をしっかり食べ，バターをしっかり塗るようにして頂かなくてはならないのです。

- 日本人を対象に飽和脂肪酸を減らす介入をした無作為化比較試験のデータはありませんが，観察研究のデータからは，やはり飽和脂肪酸の摂取量を減らすと脳卒中が増えてしまうことが示唆されています。これは，JPHCという国立がん研究センターのデータでも，Life Span Studyという長崎県・広島県のデータでも，JACCという文部科学省サポートのコホート研究のデータでもいずれも同様です (Eur Heart J 34：1225-32, 2013)。

- 実際，米国糖尿病学会は2013年に糖尿病食事療法として，糖質制限食・地中海食・DASH食・ベジタリアン食・脂質制限食の5つを挙げていましたが (Diabetes Care 36：3821-42, 2013)，2018年に欧州糖尿病学会と合同して出した勧告においては脂質制限食を外して，糖質制限食・地中海食・DASH食・ベジタリアン食の4つを挙げているのです (Diabetes Care 41：2669-701, 2018)。さらに，その後，糖質制限食だけを最も血糖管理の改善に有効な食事法としたこと (Diabetes Care 42：731-54, 2019) は前述しましたが，少なくとも2018年の時点では糖尿病治療の世界から脂質制限食は退場しているのです。

（2）ロカボの登場

- 2010年代になり，エネルギー制限食や脂質制限食という20世紀に席巻していた食事療法が衰退するにつれ，今，注目を集めているのが"ロカボ"という食事法です。ロカボこそ，本書がお伝えしようとしている「緩やかな糖質制限食」のことです。1食当たり

の糖質量を20g以上40g以下にし，それとは別に1日に10gの糖質で，1日の糖質が130gを超えないように，お腹いっぱいになるまでおいしいものを食べるように心がけるという食事法です。

■ よく，お腹いっぱいになるまで食べたら（エネルギー無制限なんて指導をしたら）肥満になるに決まっていると思い込んでいる医療従事者がおられます。しかし，それは高糖質食のときにのみ生じる話なのです。実は，高タンパク質食や高脂肪食のときには，食後のグレリン（空腹感を感じさせる消化管ホルモン）は長く抑制されます。また，食後のペプチドYY（満腹感を感じさせる消化管ホルモン）は長く分泌されています。一方，高糖質食では食後，すぐにグレリンの分泌が復活してお腹が減り，すぐにペプチドYYの分泌が低下して満腹感が消失します（J Clin Endocrinol Metab 94：4463-71, 2009）。

■ つまり，ロカボ（緩やかな糖質制限食）とは，意識（大脳皮質）において摂取エネルギーを制限するのではなく，満腹中枢（視床下部）において摂取エネルギーを制限させる食事法なのです。満腹中枢こそ，（高糖質食によってごまかされない限り）その人の体重を定常的に保持する能力に優れています。つまり，満腹中枢に頼っていれば，食べ過ぎて太っていくことも，エネルギー制限のしすぎで低栄養の問題を生じることもそうそうないことになります。

■ また，そもそも食後高血糖に対して，タンパク質摂取や脂質摂取はいずれもそれを抑制してくれます。ですから，高血糖を是正するための食事では，タンパク質や脂質摂取を制限してはならないのです（Am J Clin Nutr 93：984-96, 2011）。

(3)「賢い不摂生」を広めよう

■ このロカボを，世に普及させるべく，私が立ち上げたのが食・楽・健康協会という一般社団法人です。元来，メタボリックドミノという概念で，エネルギー過剰摂取とそれによる肥満が，高血糖・脂質異常症・高血圧症を生み，それが動脈硬化症や細小血管障害を生むと考えられていましたが（日本臨牀 61：1837-43, 2003），実は，糖質過剰摂取とそれによる食後高血糖が，肥満・高血糖・脂質異常症・高血圧症・脂肪肝を生み，それが動脈硬化症や細小血管障害だけでなく悪性腫瘍や認知症にもつながっているという考えが提唱されているのです（JAMA Intern Med 178：1098-103, 2018. 日臨栄会誌 42：8-23, 2020）。そこで，食後高血糖の問題を世に啓蒙しつつ，その解決法としてのロカボを普及させようとしているのが食・楽・健康協会の活動です。

■ これまで，神戸，丸の内，日本橋，大阪，白金…様々な街の方たちと，おいしいものを楽しみながら健康になれる街づくりをご一緒させて頂いています。また，コンビニエンスストア，スーパーマーケット，レストラン…様々な食に関わる企業の方たちと，健康になれるおいしいものを手軽に手に取れる機会を増やす取り組みを進めています。

■ 後で詳述しますが，ロカボ指導におけるキーワードは「賢い不摂生」です。かつての食事指導と言えば，おいしいものの摂取と健康とをトレードオフにしていました。節制して下さい，規則正しい生活をしましょう，宴席は避けましょう…そんな実現不能な食事指導をしておいて，血糖管理がうまくいかなかったら患者さんのせいにする。そんなかつての食事指導はもはや実施すべきではありません。どうか商品知識，店舗知識を身につけ，人生の醍醐味でもある不摂生を患者さんに享受させて下さい。もちろん盲目的な不摂生は健康を害するかもしれませんが，賢い不摂生であれば生活習慣病の予防・治療になるのです。ぜひ，本書を用いて頂き，ご一緒に「賢い不摂生」を世に広めていきましょう。

（4）ロカボのポイント

■ さて，このロカボの指導の実際については第4章に詳述しますが，ここで，ロカボを指導するにあたって忘れてはならないポイントをいくつか述べておきたいと思います。

① 正確な秤量を求めない

> 突然ですがクイズです。牛肉サーロイン100gのエネルギーは何kcalでしょうか？
> A：136kcal，B：177kcal，C：317kcal，D：238kcal，E：270kcal，F：456kcal

• 実はいずれも正解です。これは文部科学省が公表している日本食品標準成分表2015年版（七訂）に記載されています。A・B・Cは赤肉，D・E・Fは皮下脂肪なしです。そして，A・Dは輸入牛，B・Eは乳用肥育牛（いわゆる国産牛），C・Fは和牛です。いかがでしょうか？　たった100gの牛肉で，300kcalもの差異が出ます。このような種の相違や飼料の相違に加え，年齢の相違，飼育環境の相違などによって栄養成分が一定でないことは消費者庁の栄養成分表示のためのガイドラインにも明記されています。ですから，製造物責任を問われる食品企業においてもエネルギー量，炭水化物量，脂質量，タンパク質量などは±20％の誤差が許されています。つまり，栄養成分表示のある食品だけで丸一日食事をして，1日2,000kcalだと思った方の食事摂取量は1,600〜2,400kcalということになります。糖質摂取量も同じです。1食30gの糖質量だと表示されている食事をした方の糖質摂取量は24〜36gとなります。エネルギー制限食の世界では1,600kcalと2,400kcalでは大きな相違でしょうが，実は，それは現実世界では同一エネルギーとして表示されることが許容されている相違なのです。一方，緩やかな糖質制限食では24gと36gはいずれもロカボの基準に合致していて臨床的にまったく問題にならない差異です。

• なお，上記のクイズはいずれも正解と申し上げましたが，実はいずれも不正解でもあります。これらの数値は日本食品標準成分表2020年版（八訂）において変更されまし

た。七訂まではエネルギー量は多くの食品においてAtwater法で求められていました。糖質は1g＝4kcal，食物繊維は1g＝2kcal，タンパク質は1g＝4kcal，脂質は1g＝9kcalという計算法です。しかし，八訂からは糖質（利用可能炭水化物）は1g＝3.75kcalに変更され，有機酸は1g＝3kcalという項目が加えられたりしているのです。このため，八訂が発表された日を境にA～Fのいずれもの数値が変更されてしまったのです（A：136→127kcal，B：177→167kcal，C：317→294kcal，D：238→218kcal，E：270→253kcal，F：456→422kcal）。エネルギー計算をすることが本当に馬鹿馬鹿しくなります。一方，糖質の重量は七訂でも八訂でもほとんど相違はありません。糖質の重量で物事を考えるほうが時代を超えて安定した価値を持つと言えるでしょう。

- また，エネルギー制限と異なり，糖質制限は（極端なレベルになるまでは）線形相関でHbA1cを下げます。100点満点の糖質制限ができなくても，50点なら50点なりの効果が出ます。ですから，指導する側は1食20～40gの糖質としますが，患者さんの側が必ずしもそれを守り切れずとも，糖質摂取がある程度減っていれば，それで血糖値やHbA1cは改善しますし，だからこそ，守り切れずとも糖質摂取量が減りさえすれば，それで良しとします。

②ストイックな人は要注意

- 患者さんの中には，ストイックに糖質を制限することこそが最善と考える方がおられます。安全性の問題は後述するとして，ストイックであることはリバウンドの最大の危険因子です。決してストイックに制限させてはいけません。多くのストイックな方は，体重が減少したり，HbA1cが改善したりしているうちは，そのことで満足されるのですが，いずれの指標もやがて平衡状態となり，それ以上は下がらなくなります。努力の（我慢の）成果が見えないと，誰しもがつらくなってきます。そのときがストイックな方たちのリバウンドが始まるタイミングとなります。食生活そのものが楽しいこと。それこそがリバウンドをなくす最大の要因です。

③食生活を楽しめることが行動変容のカギ

- 前述のように，楽しさこそが行動変容の最大の要素です。楽しい食事療法と聞くと，違和感を覚える方もおられるかもしれません。でも，考えてみて下さい。糖尿病治療とは，「血糖，体重，血圧，脂質の改善」を通じて，「三大合併症や動脈硬化症の発症，進展の予防」を図り，最終的に「健常者と変わらぬQOLや寿命の確保」をめざすものです。そもそも，糖尿病患者さんは健常者と変わらぬQOLでなくてはならないのです。エネルギー制限食の世界では，糖尿病の食事療法はひたすらQOLを低下させるものでした。元気なデスクワーカー（の糖尿病患者さん）に，骨や筋肉を削るような食事しか摂取さ

せなければ，QOLは低下せざるをえないのです。ロカボを含め，何らかの食事指導をして，「先生，このやり方だったら俺やっていけるよ」と言わしめたら，その食事療法はその患者さんにとっての正解です。その食事療法は長く継続できることでしょう。

④不摂生こそ人生の醍醐味

・食事療法を指導する側が忘れてはならないのは，不摂生こそが人生の醍醐味だということです。中学生が修学旅行に出かけて，「21時に寝なさい」と指導を受けたとします。本当に21時に寝てしまう生徒と，布団には入ったものの友達と24時を過ぎるまで様々なことを語り合う生徒と，どちらの生徒のほうが人生の醍醐味を味わっているでしょうか？　もちろん，人の価値観はそれぞれですが，私は後者のほうがより奥深い人生を送れるのではないかと思っています。食生活も同じです。確かに，"毎日，規則正しく，朝6時に起床し，朝食を7時に，昼食を12時に，夕食を18時に食べ，22時には就寝する""不摂生はしない"という生活は健康に良いでしょう。しかし，それでビジネスパーソンとして，あるいは家庭人として意義深い人生を送れるかは不明です。人によっては接待をしなくてはならないかもしれませんし，そもそも，スイーツバイキング，飲み放題など，魅惑的な食生活は(不健康かもしれませんが)豊かな人生を形づくってくれるものです。

・患者さんの不摂生を認めた上で，その不摂生な食生活で血糖や脂質プロファイルを悪化させない，あるいは改善させる食事法を一緒に考えることこそが本当の食事指導というものです。健康のためにはおいしいものを我慢するものだと医療者が思い込んでいたら，その医療者に指導された患者さんの食生活は粗末なものになってしまいます。不摂生をして健康に，享楽的に生きて健康に，宴会を楽しんで健康に，を医療者は心に刻む必要があります。前述しましたが，賢い不摂生こそが理想の食事法なのです。

③ 極端な糖質制限食

■ さて，2015年に薬理学的な糖質制限ともいえるSGLT2阻害薬により，心血管疾患や総死亡率の低減効果が報告され(N Engl J Med 373：2117-28, 2015)，2016年には腎臓病の予防効果が報告され(N Engl J Med 375：323-34, 2016)，その後，糖尿病の有無にかかわらず心不全(N Engl J Med 381：1995-2008, 2019)や慢性腎臓病(N Engl J Med 383：1436-46, 2020)の治療に有効であることが報告されています。既存の糖尿病治療薬に比較して，圧倒的に優れたSGLT2阻害薬のこの臓器保護効果に対して，単に血糖値を下げただけでは説明がつかないと考えるのは当然のことです。だって，糖尿病のない人にも有効だったのですから。そして，こうした臓器保護効果の機序の1つとして唱えられているのがケトン体仮説です(Diabetes Care 39：1108-14, 2016)。

- ケトン体は，糖尿病学の世界ではとかくケトアシドーシスの原因物質として毛嫌いされてきました．それが，極端な糖質制限食（ケトン体産生食）が批判されてきた最大の要因です．しかし元来，ケトン体は抗加齢医学の世界では，下等動物において示されてきたエネルギー制限食による抗加齢の要因としてポジティブにみられるものでした（Science 339：148-50, 2013）．このSGLT2阻害薬では，糖新生が促されるとともにケトン体産生も高まることが知られています．そのケトン体が臓器保護効果に有用だというのがケトン体仮説です．糖尿病学の世界でもケトン体をポジティブにみる学説が唱えられているのです．
- 正直，この学説が必ずしもすべての基礎医学者に受容されているわけではありませんが（Cell Metab 24：200-2, 2016），私たちもケトン体を毛嫌いすることはもうやめています．
- 小児の難治性てんかんの治療のためにケトン体産生食を指導してきた小児科の先生方も，ケトン体産生食が患児の母親の負担になっている，あるいは，患児が継続できないことに悩んでおられます．あるいは，指導する側がケトン体産生食の副作用に注意を払う必要について啓蒙しておられます（Epilepsia 50：304-17, 2009）．
- そのような点から，私たちは極端な糖質制限食（ケトン体産生食）について以下のような対応をすることにしています．

---

①医療者側からは推奨しない

②患者さん自身が「やりたい」という人は止めない

③ただし，食生活を楽しめているかを確認し，楽しめていない人には糖質制限を緩めるように指導する

④実施している人に対しては，腎結石（尿ケトン体が尿を酸性化させ，結石形成を促進する），カルニチン分画（脂肪酸をミトコンドリアに移動させるために必要なのがカルニチン）のチェックを定期的に実施する

コラム ● 食事療法に対する概念にショックを与えた患者さん

77歳，男性

約20年の糖尿病治療歴

HbA1c（当時のJDS値で）6％程度

きわめて良好な血糖管理を実践している

- ある日，HbA1c（JDS値）5.8％と正常上限で血糖管理良好にもかかわらず，患者さんの表情が優れません。

- 「どうなさったんですか？　お顔つきが優れませんが……」と尋ねたところ，「先生，今回ほど自分が糖尿病になったことを悲しく思ったことはありません。先日，僕の喜寿のお祝いを子どもや孫たちがしてくれたんです。みんなが僕にプレゼントを持って来てくれて，本当にうれしかった。でも，それが終わって，さあみんなで会食という段になったら，みんなにはフルコースの料理が出ているのに，僕だけワンプレートランチだったんです。どうして，僕自身のお祝いの席で家族と同じ料理を楽しむことが許されないのでしょうか？　僕は本当に自分の身体が恨めしい。悔しいですよ」とおっしゃいました。

- もし，事前に「来月自分の喜寿のお祝いがあるけれど，そのときの食事をどうしたらよいか？」と相談されていたら，「そのときくらい羽目を外して結構です。存分に楽しんで下さい」と伝えたことでしょう。しかし，エネルギー制限を守り，HbA1cを良好に保たれていた患者さんに対し，今さら「そのときくらい羽目を外せばよかったのですよ」と言うことはできません。私の指導をきちんと守っている患者さん，その患者さんのためにスペシャルメニューを用意したご家族に対して失礼にあたると思いました。

- きっとこの患者さんは合併症予防に成功し，健常者と変わらない寿命を確保されることでしょう。しかし，それと引き換えに幸せを奪われてしまっているのではないかと感じ，「申し訳ありません。そのときにこうすればよかったという答えが私の中にありません。お時間を下さい」と言うしかありませんでした。

山田　悟

基本編

2章 糖質制限食のエビデンス

1 糖質制限食にポジティブなエビデンス

- かつて，糖質制限食について批判的な意見を持った専門家もみられたことは読者の方々もご存じのことと思います。しかし，2019年に米国糖尿病学会は糖質制限食を最も血糖管理にエビデンスのある食事法として推奨するようになりました (Diabetes Care 42：731-54, 2019)。その前年の2018年には米国糖尿病学会は欧州糖尿病学会との合同声明の中で，糖質制限食に有害作用はないと明記しています (Diabetes Care 41：2669-701, 2018)。そこで，本章では，糖質制限食に対しポジティブなもの，ネガティブなものも含めて，糖質制限食に関するエビデンスを列挙し，その上で，なぜ糖質制限食が欧米においてNo.1の糖尿病治療食の立ち位置になったのかを概説します。

- 糖質制限食についての無作為化比較試験[*1]では，糖質制限食は少なくとも同等か，対照食に対して優越であるという報告ばかりです。糖質制限食が対照食と同等であるならば，対照食に対して優越である，同等である，劣性であるの3つの結果が出て，優越であるという研究と劣性であるという研究がほぼ同数になるはずです。しかし，現在のところ同等か，優越であるという結果しかありません。このことは，真に優越であり，統計学的な検出力の問題で検出できるかできないかの違いなのだということになります。

  ＊1 解説：糖質制限群と対照群とで，交絡因子やバイアスを除外できるようにして比較した試験。仮説を検証することができる (因果関係を証明できる) 研究法

- 一方で，糖質摂取量と様々なアウトカムとの関係を検討した欧米の観察研究[*2]では，糖質摂取が少ない集団で，悪いアウトカムが生じるという相関関係があるとする報告が多いのです。糖質制限食について批判的な専門家は，こうした観察研究の結果をもとに議論を展開しているようです。

  ＊2 解説：糖質摂取量の少ない集団と多い集団とでアウトカムの発症率を比較した，交絡因子やバイアスを除外できない研究法。因果関係を証明することができない，仮説を検証するというより，仮説を探索したり，提唱したりするための研究法

- ただし，日本人や東アジア人の観察研究では，糖質摂取量の少ない集団で，良いアウトカムが生じるという相関関係があるとする報告が多いのです。また，5大陸18カ国の観察研究でも糖質摂取量が少なく，脂質摂取量が多いほうが死亡率が低いという

PURE研究の結果が報告されています（Lancet 390：2050-62, 2017）。よって，今なお糖質制限食について批判的な方がいらっしゃるとするならば，その方は，なぜ，無作為化比較試験より観察研究を重視して因果関係を考えようとするのか，および，なぜ，日本人や東アジア人や世界全体の観察研究の結果より欧米の観察研究を重視して日本人に適応させようとするのか，自身の正当性を明らかにする必要があるでしょう。

■ まずは，無作為化比較試験として有名な6つの試験をご紹介します。

（1）DIRECT（Dietary Intervention Randomized Controlled Trial）試験

■ 前述のように，糖質制限食の有効性を明らかに示した治療成績としてN Engl J Med誌に掲載されたDIRECT試験があります。

■ 本試験は，40～65歳で「BMI 27以上」，「2型糖尿病」，もしくは「冠動脈疾患がある」イスラエル人を対象に実施された3群での無作為化比較試験（食事介入）です。

■ 625名をスクリーニングし，試験に同意した322名（平均BMI 31，男性86％）が3つの食事群に割り付けられました。すなわち，①糖質制限食（初期2カ月は炭水化物を20g/日まで制限し，その後は最大120g/日まで許容するが，エネルギー制限はしない食事），②地中海式エネルギー制限食（オリーブ油を使用し，肉より魚を優先したエネルギー制限食），③低脂肪・エネルギー制限食（当時の米国心臓病学会のガイドラインに準じた低脂肪かつエネルギー制限食）の3つです。

■ 2年間の介入の結果，それぞれの群での栄養摂取は**表1**の通りであり（N Engl J Med 359：2169-72, 2008），糖質制限食の減量（**図1**），脂質改善［トリグリセリド（TG），HDL-C］（**図2**），HbA1c改善効果が最も大きいことが報告され（N Engl J Med 359：229-41, 2008），その減量，脂質改善効果がさらに4年間の観察期間を経て計6年経過しても維持されることが報告されています（N Engl J Med 367：1373-4, 2012）。

■ また，糖質制限食では血中の脂質プロファイル（TC，LDL-C）が悪化するのではないかとの懸念に応えて，TCやLDL-Cに関して3つの食事法で差異がないことが報告されました（Am J Clin Nutr 94：1189-95, 2011）。さらに，糖質制限食ではタンパク質摂取

表1 DIRECT試験における各食事群での2年後の栄養摂取の変化

	摂取エネルギーの変化（kcal）	タンパク質		脂質		糖質	
		変化重量（g/日）	比率	変化重量（g/日）	比率	変化重量（g/日）	比率
糖質制限食	1,281±380	105.9±36.0	32.9±7.6	58.8±25.7	40.5±10.0	87.4±37.5	28.3±11.7
地中海食	1,356±258	83.2±222.5	25.2±8.0	48.8±19.8	31.7±9.1	152.9±0.3	45.0±11.7
脂質制限食	1,347±239	94.2±24.4	28.3±6.1	38.7±13.9	25.9±8.0	135.8±44.1	48.2±0.7

（N Engl J Med 359：2169-72, 2008）

基本編

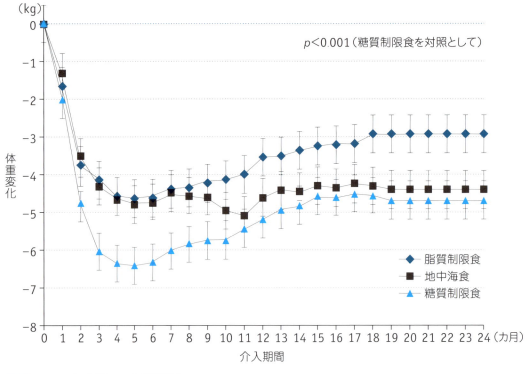

図1 DIRECT試験での減量効果 　　　　　　　　　　　　　　(N Engl J Med 359：229-41, 2008)

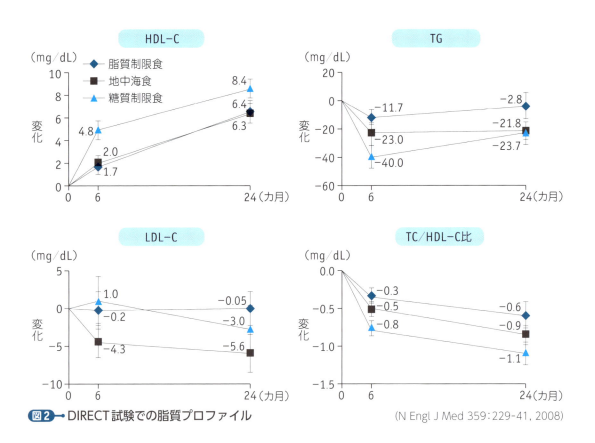

図2 DIRECT試験での脂質プロファイル 　　　　　　　　　　(N Engl J Med 359：229-41, 2008)

過剰になって腎機能（eGFR）が悪化するのではないかという懸念に応えて，3つの食事法でeGFRに対していずれも改善効果があることが報告されています（Diabetes Care 36：2225-32, 2013）。

（2）A to Z試験

- 本研究は，広告によって募集されたサンフランシスコ近郊の311名のBMI 27〜40の女性をアトキンス（A：摂取エネルギー無制限の極端なレベルの糖質制限食），ラーン［T：摂取エネルギーを制限し，糖質をエネルギー比55〜60％とし，飽和脂肪酸をエネルギー比10％未満とする伝統的な（Traditional）食事法］，オーニッシュ（O），ゾーン（Z）の4つの食事法に無作為に割り付けました（JAMA 297：969-77, 2007）。
- 1年後の時点での栄養摂取は**表2**の通りであり，体重変化（**図3**）についてはどの群も減量に成功していましたが，アトキンス群が最も良い効果を上げていました。この研究

表2 A to Z試験における各食事群での1年後の栄養摂取

	エネルギー		タンパク質		脂質		糖質	
	kcal／日	比率	g／日	比率	g／日	比率	g／日	比率
アトキンス（A）	1,599	100	82.3	20.6	78.7	44.3	137.9	34.5
ラーン（T）	1,654	100	76.5	18.5	60.5	32.9	195.2	47.2
オーニッシュ（O）	1,505	100	68.9	18.3	49.8	29.8	197.2	52.4
ゾーン（Z）	1,594	100	79.7	20.0	61.1	34.5	180.9	45.4

A：摂取エネルギー無制限の極端なレベルの糖質制限食
T：摂取エネルギーを制限し，糖質をエネルギー比55〜60％とし，飽和脂肪酸をエネルギー比10％未満とする伝統的な（Traditional）食事法
O：いわゆる菜食主義に近い食事法。元来は心疾患予防のために考案されたが，減量効果もあるとされる。動物性食品は，特にコレステロールや飽和脂肪酸を多く含む食品は禁止されるため肉は食べられないが，一部の乳製品（無脂肪のヨーグルトや牛乳，低脂肪チーズ等）や卵白は食べてもよいとされる。植物性食品は，果物や穀類などの複合炭水化物（糖質＋食物繊維）を勧める一方，砂糖，蜂蜜，アルコールなどの単純糖質は制限される
Z：三大栄養素である糖質：タンパク質：脂質のエネルギー比率を4：3：3の比率にすることで，ホルモンバランスなどが適切なゾーンに入り，減量しやすくなると考える食事法。タンパク質のエネルギー比率が20％を超えるため，高タンパク質食としてとらえられることもある

（JAMA 297：969-77, 2007）

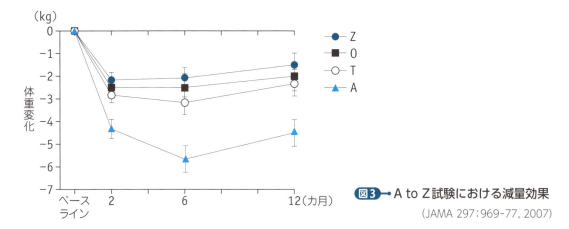

図3 A to Z試験における減量効果

（JAMA 297：969-77, 2007）

でも，アトキンス群でのエネルギー摂取は，他の治療食群と同様に制限されていました。

(3) Duke大学の無作為化比較試験

- Duke大学のWestman准教授[*3]が新聞広告で募集したノースカロライナ州の2型糖尿病患者さんを対象に実施した無作為化比較試験 (Nutr Metab 5：36, 2008) においては，糖質制限食群は，低GI (Glycemic Index) エネルギー制限食に比較して，有意ではないもののHbA1cの改善効果に優れていました（表3）。

  ＊3 解説：American Society of Bariatric Physicians（米国肥満内科医会）の理事長（2011-2013年）を務めた糖質制限食のパイオニア

表3 ▶ Duke大学の無作為化比較試験における各パラメータの変化

糖質制限食群				低GIエネルギー制限食群			
エネルギー	糖質	タンパク質	脂質	エネルギー	糖質	タンパク質	脂質
1,550±440 kcal	49±33g (13%)	108±33g (28%)	101±35g (59%)	1,335±372 kcal	149±46g (44%)	67±20g (20%)	55±23g (36%)

	糖質制限食群 (n=21)			低GIエネルギー制限食群 (n=29)			群間比較(粗)p値	群間比較(調整)p値
	0週	24週	前後比較p値	0週	24週	前後比較p値		
HbA1c (%)	8.8±1.8	7.3±1.5	<0.05	8.3±1.9	7.8±2.1	n.s.	0.03	0.06
FPG (mg/dL)	178.1±72.9	158.2±50.0	<0.05	166.8±63.7	150.8±47.4	<0.05	n.s.	n.s.
IRI (μU/mL)	20.4±9.3	14.4±6.9	<0.05	14.8±6.9	12.6±6.5	<0.05	n.s.	n.s.
BMI	37.8±6.7	33.9±5.8	<0.05	37.9±6.0	35.2±6.1	<0.05	0.05	n.s.
体重 (kg)	108.4±20.5	97.3±17.6	<0.05	105.2±19.8	98.3±20.3	<0.05	0.008	0.01

n.s.：not significant
(Nutr Metab 5：36, 2008)

(4) 北里研究所病院の無作為化比較試験

- 私たちは，北里研究所病院糖尿病センターに通院中の2型糖尿病患者さん24名を対象に，エネルギー制限食群と緩やかな糖質制限食群とに無作為に割り付けるという試験を実施しました。その結果，緩やかな糖質制限食は，エネルギー制限食に比較してHbA1cの改善に優れ，TGも低下していました (Intern Med 53：13-9, 2014)（図4）。

(5) Santosらによるメタ解析

- 最後にメタ解析[*4]の結果を挙げます。無作為化比較試験のメタ解析は，根拠に基づく医療 (evidence-based medicine：EBM) においては，最もエビデンスレベルが高いとされています。Santosらは彼らの基準に見合う研究17件（論文としては23件）を抽出し，それを合わせて体重，HbA1cだけでなく，脂質，血圧も糖質制限食が対照食にまさっていたことを報告しています（表4）(Obes Rev 13：1048-66, 2012)。

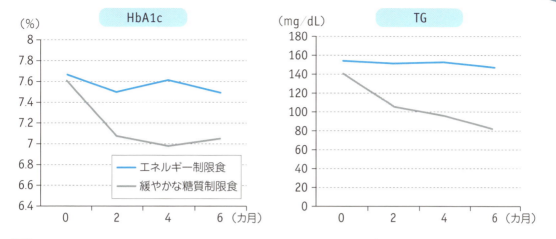

図4 → 北里研究所病院の無作為化比較試験におけるHbA1cとトリグリセリド(TG)の変化(6カ月間)

(Intern Med 53:13-9, 2014)

表4 → Santosらのメタ解析による糖質制限食の有用性

		変化量	95％CI
体重	体重	−7.04kg	−7.20/−6.88
	BMI	−2.09kg/m²	−2.15/−2.04
	腹囲	−5.74cm	−6.07/−5.41
糖代謝	空腹時血糖値	−1.05mg/dL	−1.67/−0.44
	HbA1c	−0.21％	−0.24/−0.18
	IRI	−2.24μIU/mL	−2.65/−1.82
脂質	TG	−29.71mg/dL	−31.99/−27.44
	HDL-C	+1.73mg/dL	+1.44/2.01
血圧	収縮期血圧	−4.81mmHg	−5.33/−4.29
	拡張期血圧	−3.10mmHg	−3.45/−2.74

(Obes Rev 13:1048-66, 2012)

＊4 解説：複数の研究を統合し，分析することによって，個々の研究では統計学的に有意差がつかなかったアウトカムについても有意差がつくようになることを期待する研究法をメタ解析と呼ぶ

(6) Schwingshacklらによるネットワーク・メタ解析

■ メタ解析の中でも，プラセボなどを基準にして直接的な比較試験のない2つの治療法の優劣をも検定する統計解析法がネットワーク・メタ解析です。Schwingshacklらは彼らの基準に見合う研究56件を抽出し，低脂質食と比較してHbA1cの改善の度合いを検討しました。その結果，最もHbA1cの改善に優れていた（黒いひし形が一番左にある）のが旧石器時代食（俗にパレオ食とも呼ばれます。糖質制限食の一亜型です）でした。しかし，統計学的には有意ではありませんでした（横に長い棒が0の青い線にひっかかっています）。一方，その次にHbA1cの改善に優れていたのが糖質制限食です。

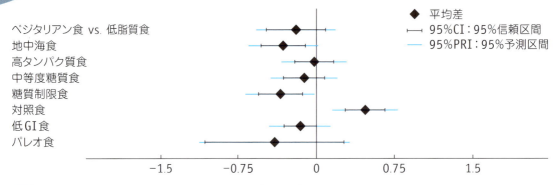

図5 低脂質食と比較したHbA1cの改善の度合いの検討

(Eur J Epidemiol 3:157-70, 2018)

これは統計学的に有意でした。つまり，糖質制限食が最もHbA1cの改善に優れる食事法だったのです（図5）(Eur J Epidemiol 33:157-70, 2018)。

- この論文を採用して，2019年に米国糖尿病学会は糖質制限食が最も血糖管理に優れるとしています(Diabetes Care 42:731-54, 2019)。
- 糖質制限食を採用すると，脂質摂取過剰になり，血中脂質が悪化するのではないかとの懸念がよく聞かれますが，上記のように，DIRECT試験でもSantosらのメタ解析でも，糖質制限食によって血中脂質は改善することが示されています。

❷ 糖質制限食にネガティブな欧米の観察研究データ

- 前述のように，観察研究では糖質制限食に対してネガティブな相関関係を示す論文もいくつかあります。ただし，私たちは，「観察研究」に対する理解として，①因果関係を示している，②擬似因果関係を示している（因果関係を持っていない），③因果の逆転を示している（逆の因果関係を持っている）の3つの可能性があることを忘れてはならないと思っています。すなわち，糖質を少なく摂取している集団で生じた悪いアウトカムについては，糖質制限食が原因となって悪いアウトカムが生じているかどうかは不明ということです。観察研究においてよく言われることは「相関関係は必ずしも因果関係を意味しない」ということです。特に，糖質摂取の少ない群と多い群とを比較するという研究においては，もし，タンパク質や脂質の摂取が同じであれば，糖質摂取の少ない群は必ずエネルギー摂取も少ない群となりますし，もし，糖質摂取の少ない群と多い群とでエネルギー摂取が同等であれば，糖質摂取の少ない群は必ずタンパク質か脂質の摂取が多くなっています。つまり，糖質摂取の多寡だけを比較するということは論理的に不可能なのです。
- 実際，食事療法については観察研究は臨床上の意思決定に使うことができないだろう，

との意見も多数出ています (BMJ 347：f6698, 2013. Ann Intern Med 171：767-8, 2019. J Clin Epidemiol 127：208-10, 2020)。

■ この点をふまえて，以下の観察研究4つをご覧下さい。

（1）Nurses' Health Study および Health Professionals' Follow-up Study

■ この2つの研究は，ハーバード大学のグループが実施している医療従事者を対象とした疫学研究です。登録時点での糖質摂取量に応じて11のグループにわけ，その後に起こる様々な事象が糖質摂取の多寡に応じて起こりやすくなるかどうかを検討しています。Health Professionals' Follow-up Study では，糖質摂取の少ない集団で糖尿病の発症率が高いことが報告されています (Am J Clin Nutr 93：844-50, 2011)。また，Nurses' Health Study と合わせた検討では，糖質摂取の少ない集団において死亡率が高くなることが報告されています (Ann Intern Med 153：289-98, 2010)。

■ しかし，興味深いことに，いずれの研究においても糖質摂取の多寡に加えて，代わりに摂取しているエネルギー・蛋白源として動物性・植物性で分類してみると，糖質摂取が少なくて動物性タンパク質の摂取が多い集団では糖尿病の発症率や死亡率は高いままなのですが，糖質摂取が少なくて植物性タンパク質摂取が多い集団では逆に糖尿病の発症率や死亡率が低くなりやすいことが示されています。このことは，糖質摂取量と糖尿病の発症あるいは死亡との間に擬似因果関係(つまり，糖質摂取が少ないこと自体は糖尿病発症や死亡とは直接関係がなく，代わりに食べている動物性タンパク質の多さが糖尿病発症や死亡と関係している)の可能性を示唆しています。

■ また，Nurses' Health Study 単独では糖質摂取が少ないからといって冠動脈疾患は増えておらず，糖質摂取が少なく植物性タンパク質の摂取が多くなるほど冠動脈疾患が減るかもしれないというデータが出ています (N Engl J Med 355：1991-2002, 2006)。

（2）Swedish Women's Lifestyle and Health Cohort

■ 本研究は1991～1992年にスウェーデン女性生活習慣・健康コホートから無作為に抽出された30～49歳の96,000名の女性を対象にした，平均15.7年の観察期間を持つ前向きコホート研究です。対象者には生活習慣についてのアンケート調査への協力が求められ，49,261名が回答しました。

■ このアンケートはかなり詳細であり，食習慣(野菜，豆類，果物，乳製品，穀類，肉，魚，いも類，卵，砂糖)，運動習慣，アルコール摂取，喫煙状況などが問われています。対象者はタンパク質摂取について1～10(一番少ないのが1，一番多いのが10)，糖質摂取について10～1(一番少ないのが10，一番多いのが1)のスコアをつけられ，その和から，2～20の低糖質・高タンパク質スコアが決められます(つまり，2＝タンパク質摂取が少なく糖質摂取が多い，20＝タンパク質摂取が多く糖質摂取が少ない)。なお，

スコアが上昇するにつれてエネルギー摂取が一貫して増えていたり，減っていたりすることはありませんでした。

■ その結果，糖質摂取スコアが高かったり，低糖質・高タンパク質スコアが高かったりするほど心血管イベントが多いことが示されました。言い換えると，20gの糖質摂取の減少と5gのタンパク質摂取の増加が，5％の心血管イベントの増加につながるということであると著者らは述べています (BMJ 344：e4026, 2012)。

■ ただ，この研究のグループは2007年に低糖質・高タンパク質スコアが高いほど死亡率が高くなるという報告をしており (J Intern Med 261：366-74, 2007)，その際に擬似因果関係を検討すべく，タンパク質を動物性・植物性でわけるなど，タンパク質や脂質の質に注目するよう編集者から勧告されていたのですが (J Intern Med 261：363-5, 2007)，その5年後に報告したBMJの論文で，擬似因果関係についての解析はできていませんでした。

（3）ギリシャのコホート研究

■ ギリシャのコホート研究においても糖質の摂取量で登録された集団を10群にわけて死亡率をみているのですが，Nurses' Health Study／Health Professionals' Follow-up Studyと同様に，糖質摂取が少ない集団において死亡率が高くなることが報告されています (Eur J Clin Nutr 61：575-81, 2007)。

（4）観察研究のメタ解析

■ 観察研究についてもメタ解析を挙げます。ただ，無作為化比較試験のメタ解析がほぼ因果関係を示す（無作為化により交絡因子やバイアスを除外していて，さらにメタ解析によって偶然を除外できるため）のに対し，観察研究のメタ解析は交絡因子やバイアスが除外されないので，通常の観察研究と研究としてのレベルは同等で，因果関係は検証できません。

■ 国立国際医療研究センターの能登らを中心とするグループは，糖質制限食が死亡率に与える影響をみるために論文を抽出し，メタ解析を行いました (PLoS One 8：e55030, 2013)。その結果，無作為化比較試験は該当するものが1件もなく，観察研究が9件該当しました。このことは，対象者の嗜好を無視して治療が決定される無作為化比較試験では，死亡率を検討できるほど大規模かつ長期に実施することがなかなか難しいことを考えれば，当然かもしれません。この9件の観察研究の結果，糖質を少なく摂取している集団ほど死亡率が高くなることが示されました。

■ 興味深いことに，このメタ解析では糖質を少なく摂取している集団において心血管イベントが増えるということは確認されませんでした。観察研究においてすら，メタ解析で心血管イベントが増えるとは確認されなかったことは，記憶にとどめるべきです。なお，一部の研究で動物性・植物性タンパク質の解析がなかったこともあり，このメタ解析では擬似因果関係についての検討はできませんでした。

❸ 糖質制限食にポジティブな日本・東アジアの観察研究データ

(1) 中国のコホート研究

- 上海で行われている研究で，上海女性健康研究と上海男性健康研究という2つの前向きコホートがあります。上海女性健康研究は，1997～2000年に40～70歳の上海近郊の女性81,170名が登録を呼びかけられた前向きコホート試験です。実際の登録は75,221名でしたが，糖尿病などの疾病を持っていた，極端な食事嗜好の偏向があった，などの理由での除外から，本研究では64,854名が解析に利用されています。一方，上海男性健康研究も2002～2006年に40～74歳の上海近郊の男性83,125名が登録を呼びかけられた前向きコホート試験で，61,482名が実際に登録されています。同様の理由での除外から，本研究では52,512名が解析に利用されています。これらの2つの研究を男女混合して解析した結果が 表5 です。糖質摂取量と心血管イベントの関係性をみてみると，糖質摂取量が少ない群において心血管イベントの発症率が低くなっていました（Am J Epidemiol 178：1542-9, 2013）。

表5 上海女性／男性健康研究における糖質摂取量と心血管疾患発症リスクの関係

第4分位	1 糖質量少ない	2	3	4 糖質量多い
心血管疾患発症リスク	1.00（ref.）	1.38	2.03	2.88

(Am J Epidemiol 178：1542-9, 2013)

(2) NIPPON DATA 80

- NIPPON DATA 80は，日本動脈硬化学会が動脈硬化性疾患予防ガイドライン2012年版において心血管疾患の発症リスクを予測する元データとなった重要なコホート研究です。そのNIPPON DATA 80において，9,200名（女性5,160名，男性4,040名）の解析をしてみると，29年間での死亡率は糖質摂取量が少ない群において低くなっていました（Br J Nutr 112：916-24, 2014）（表6）。

表6 NIPPON DATA 80における低糖質食スコアと心血管疾患による死亡率の関係

低糖質食スコア	第1分位 糖質摂取量多い	第6分位 糖質摂取量中程度	第10分位 糖質摂取量少ない	p for trend
男女混合	1.00	0.92	0.84	0.03
	1.00	0.93	0.87	0.09

上段は，年齢，BMI，高血圧の有無，喫煙状況，アルコール摂取状況，TC，血糖，Crにて補正したもの
下段は，上記に加え，食物繊維摂取，Na/K比，雇用状況にて補正したもの
Cr：クレアチニン，TC：total cholesterol（総コレステロール）

(Br J Nutr 112：916-24, 2014)

(3) JPHC（多目的コホート研究）

- JPHC（多目的コホート研究）は，国立がん研究センター予防研究グループが平成元年から行っているコホート研究で，わが国の11地区，計140,000名が登録されています。その研究において，日本人では糖質摂取の少ない人のほうが，糖尿病発症率が低いことが示されています（PLoS ONE 10：e0118377, 2015）。

- 欧米人の観察研究では，確かに糖質摂取の少ない群で悪いアウトカムとの関連が示されていますが，東アジア人の観察研究では，糖質摂取の少ない群で良いアウトカムとの関連が明確に示されています。よって，欧米人での観察研究を理由に日本人を相手にして糖質制限食のリスクを語ることは，もはや不可能になったと私たちは考えています。

❹ 英米のガイドラインにおける糖質制限食の位置づけ

- このような状況の中で，各国のガイドラインにおける糖質制限食の位置づけは既に変化しています。
- まず，最初にガイドラインで糖質制限食を取り上げたのは米国糖尿病学会（American Diabetes Association：ADA）でした。ADAでは，2007年までは糖質制限食は行ってはならないと明記していたのですが，2008年の栄養についての声明において，減量のために糖質制限食を実施することを認め，低脂質エネルギー制限食と同等の効果があるだろうとしています。また，当初はこの文章について「1年までの短期で」とする条件でしたが，2011年には「2年まで」と変更されています。このことは，糖質制限食を長期に実施すると危険であるということではなく，有効性を示す論文として採用したものが2年までのものであったということです。そして2013年のガイドラインでは，糖質制限は第一選択肢のひとつ（地中海食・ベジタリアン食・DASH食などと並んで糖質制限食を第一選択肢としました）として何の条件づけもなく認められるようになりました。そして，2019年にNo.1の糖尿病治療食として糖質制限食を採用することにしています。
- 次に糖質制限食をガイドラインに明記したのは，英国糖尿病学会（Diabetes UK）です。2011年版の科学的根拠に基づく栄養ガイドラインにおいて，糖質制限食を選択肢として認めるようになり，2018年版においては，地中海食・ベジタリアン食・DASH食と並んで糖尿病予防に有効な食事法として糖質制限食を明記し，また，血糖管理のためには糖質摂取量を減らすよう指導すべきだとしています。

「緩やかな」糖質制限食の定義

(1) 1日糖質量の考え方

- 前述の通り，糖質制限食については，かつては観察研究に基づく反対論があり，様々な議論がなかったわけではありません。糖質制限食についての論文が少なく，一方で糖質制限食反対論者にも無作為化比較試験と観察研究の相違が分からない人もいて，不毛な議論になることもありましたが，世界的にはもはや解決しています。
- その一方で，糖質制限食の明確な定義というものは完全には定まっていません。私たちは糖質制限食には明確な定義が必要であると考えており，1食当たりの糖質を20〜40gとした"緩やかな"糖質制限食を「ロカボ」として定義し，推奨しています。
- また，私たちは，間食は多くの患者さんにとって不可欠なものであると考えており，間食は1日の中で糖質10gとしています。よって，1日3食ともに糖質制限食とし，間食を摂取すると，1日の糖質摂取量としては70〜130gとなります。

(2) 他の治療食の併用

- また，食べ順ダイエット[*5]のようなやり方も併用すると，より血糖管理がやりやすくなると思っています。

    *5☞解説：献立のうち野菜や肉・魚から先に食べ，主食を食事の最後に食べる方法

- そして，その時々，"患者さんがやりやすい方法"を選択し，何らかの形で糖質摂取を制限できるように指導すべきと考えています。このような様々な糖質制限のための選択肢（低糖質商品であったり，調味料の工夫であったり，低糖質メニューを持っている飲食店であったり）を提案することによって，患者さんは食事療法を継続しやすくなるものと信じています。

山田　悟

基本編

3章 三大栄養素の代謝と糖質制限食の関わり

■ 食事とは，「個体の成長，生命維持に必要な物質の外界からの獲得」と解釈でき，その中には自身で合成できず外界から取り込まなければならない物質（必須アミノ酸，必須脂肪酸，カルシウム，微量元素など）とそうではない物質があります。生物は様々な食環境で生存することが可能ですが，必須物質を必要量摂取できれば，その他の物質は体内で合成することで一定の体組成，身体活動を維持できると考えられます。

■ 人体を構成する成分は60％が水です。残りの約20％を蛋白質が占め，次に脂質，無機質が占めており，炭水化物は1％程度です。一方，ヒトが地球上で摂取している食物はその化学的視点から，炭水化物，タンパク質，脂質に大別され「三大栄養素」と呼ばれます。現代の日本人が摂取する食事は炭水化物が多くを占めており，したがって摂取された炭水化物は蛋白質または脂質に変換され蓄積されるか，日常のエネルギー源として消費されていると理解できます。

■ その役割から一般に，糖質は運動時に速やかに使用できるエネルギー源として，蛋白質は細胞の構成成分として，脂質はホルモンの原料やエネルギー源として主に利用されているとされますが，これらすべてから細胞のエネルギーであるアデノシン三リン酸（adenosine triphosphate：ATP）をつくることが可能であり，生体の置かれた栄養状態に応じてこれらの構成成分を相互に変換し利用していることを理解する必要があります。

1 糖質の摂取，合成，代謝（図1）

■ 炭水化物は，「消化吸収される糖質」と「食物繊維」にわけられ，糖質は主に細胞のエネルギー源として使用されます。糖質は表1のように分類されます。糖質の種類からみると，我々が通常の生活で摂取するものとしてはデンプンが最も多いです。

■ 経口摂取された糖質はアミラーゼ，グルコアミラーゼ，マルターゼ，デキストリナーゼ，ラクターゼ，スクラーゼなどにより単糖類に分解され小腸で吸収されます。人体内で

表1 ▶ 糖質の分類

単糖類	ブドウ糖（グルコース），果糖，ガラクトース，マンノース，リボースなど
少糖類（オリゴ糖類）	2～20個程度の単糖類が結合したもの。 二糖類（ショ糖，乳糖，マルトース），シクロデキストリンなど
多糖類	単糖類が多数結合したもの（デンプンなど）

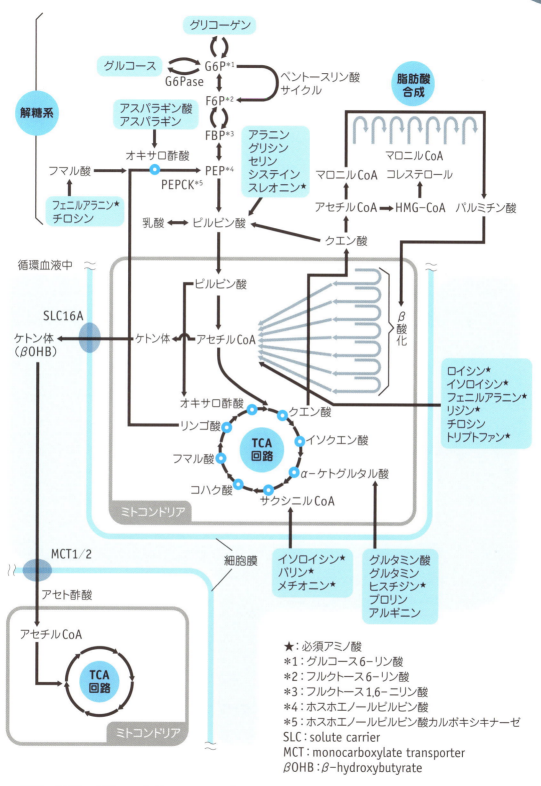

図1 ▶ 糖質，脂質，蛋白質の代謝マップ

分解できるデンプンはグルコースがα1,4結合，α1,6結合で結合した多糖類であり，β1,4結合したセルロースは消化できません。しかし細菌などセルラーゼを有する生物により分解された後に吸収することは可能であり，ヒトにおいても腸内細菌の発酵によりエネルギーを生じえます。

- グルコースは細胞内の解糖系で代謝されATPを産生しますが，嫌気性解糖では2分子のATPを，またミトコンドリアにおける好気性解糖（TCA回路および電子伝達系）では38分子のATPを生成します。この経路により産生されたATPが細胞の主たるエネルギー源となっています。

- グルコースは脱水重合されグリコーゲンとなり，肝臓に70〜90g，筋に200〜250g程度貯蔵できます。肝臓のグリコーゲンは，空腹時の血糖値を70〜100mg/dLに維持しておくように分解され（グリコーゲン分解：glycogenolysis），グルコース6-リン酸となり，グルコース6ホスファターゼ（G6Pase）によりグルコースとなり血中へ動員されます。一方，筋肉のグリコーゲンは激しい筋収縮時にエネルギー源として使用され，G6Paseを欠くためすべて解糖に向かい，乳酸の蓄積，血中乳酸の増加をきたします。血中に存在するグルコース量は4g程度ときわめてわずかです。

- 血糖値を維持するための主要な貯蔵は肝グリコーゲンですが，これが枯渇した後は乳酸，グリセリン，アラニンなどのアミノ酸を利用してグルコースが生成されます。これは糖新生（gluconeogenesis）と呼ばれ，主に肝臓で生じます。解糖系のほぼ逆の反応経路となり，ホスホエノールピルビン酸カルボキシキナーゼ（phosphoenolpyruvate carboxykinase：PEPCK）やG6Paseに触媒されます。糖新生時に利用されるアミノ酸は筋肉の異化，グリセリンは中性脂肪（トリアシルグリセロール）の分解により供給されます。

- 急激な運動時に十分な酸素を得られず筋肉で乳酸が生じた場合，血液を介して肝臓に運ばれグルコースに再合成されます。これは「Cori回路」として知られていますが，ATPの数をみてみると，1回当たり嫌気性解糖で2分子のATPが生成されるも，糖新生で6分子のATPが消費されるため，正味4分子のATPが減少しています。このためCori回路はエネルギー消費系です。同様に筋蛋白が分解して生じたアラニンが血液を介して肝臓に運ばれグルコース合成に使用される回路を，グルコース-アラニン回路と呼びます。

- 摂取されたグルコースは上記のようにグリコーゲンの形で蓄えられますが，それ以外にも中性脂肪に変換されて脂肪組織や肝臓にもエネルギーとして貯蔵されます。またオキサロ酢酸からアスパラギン酸，ピルビン酸からアラニンのようにアミノ酸合成にも使用されます。

2 蛋白質の摂取，合成，代謝（図1）

- 蛋白質は細胞の骨格を形成し機能を担う基本となる物質であり，アミノ酸が多数結合して構成されます。アミノ酸は炭素骨格にアミノ基（-NH$_2$），カルボキシル基（-COOH）が結合したもので，生体内には主として20種類存在します。体内で合成不可能であるもの（必須アミノ酸）と，可能であるもの（非必須アミノ酸）があり，成人の必須アミノ酸は脂肪族中性アミノ酸（バリン，ロイシン，イソロイシン，スレオニン），塩基性アミノ酸（リジン），芳香族アミノ酸（フェニルアラニン），異環アミノ酸（ヒスチジン，トリプトファン），含硫アミノ酸（メチオニン）です。非必須アミノ酸は解糖系の中間生成物や必須アミノ酸を利用して生成されます。

- 人体において成人では1日3g/kg，すなわち体重60kgの成人1人当たり約180gの蛋白質が合成，分解されているとされますが，分解により生じたアミノ酸は再利用されるため実際に喪失する蛋白質は1日6～8gと考えられています（Diabetes 62：1371-2, 2013）。

- ヒトの生体では摂取された蛋白質はペプシン，キモトリプシン，トリプシンおよび小腸のエキソペプチダーゼ類にてアミノ酸やジペプチドに分解され吸収されます。その後アミノ酸はmRNAの情報に従い蛋白合成に利用されます。食事由来のアミノ酸は分枝鎖アミノ酸を除いては肝臓で代謝調整を受け，末梢血中のアミノ酸濃度はアラニンやグルタミンが高値であるなど比較的安定に制御されています（PLoS One 8：e62929, 2013）。

- 蛋白質を食品として摂取する場合に，その成分にある必須アミノ酸組成が必要とするアミノ酸バランスに近く，かつ十分に消化できるものであれば，栄養価の高い蛋白質であると考えられます。アミノ酸値[*1]が低い食材は必須アミノ酸摂取の観点からはバランスが悪い食材と言えます。

    *1 ☞解説：窒素1g当たりで必須アミノ酸組成を考えた場合，ある食材を窒素1g相当摂取した際に最も不足する必須アミノ酸の割合をアミノ酸値（amino acid score）と呼び評価する

- 白米やとうもろこしなどの穀物ではリジン，スレオニン，トリプトファンが不足する傾向にあり，大豆や鶏卵，動物性由来の肉では大きな偏向は認めません。魚介類由来の蛋白質ではトリプトファンが不足する傾向にあります。

- またアミノ酸は脱アミノ化を受けα-ケト酸となりTCA回路の中間体に変換され，アラニンはピルビン酸に変換され糖新生に利用され，ロイシンやイソロイシンなどのアミノ酸はケトン体生成に用いられ，エネルギー源としても利用されます。

- 分枝鎖アミノ酸以外のアミノ酸の多くは肝臓で代謝され，分枝鎖アミノ酸は筋肉で代謝されます。ヒトの筋肉において使用できるアミノ酸はアスパラギン酸，グルタミン酸，

アラニン，バリン，ロイシン，イソロイシンであり，特にバリン，ロイシン，イソロイシンの分枝鎖アミノ酸はエネルギー源として重要とされています。また，前節のグルコース-アラニン回路における筋肉でのアラニン産生においてピルビン酸にアミノ基を供与する役割を有しています。しかし，疫学研究では分枝鎖アミノ酸の血中濃度がインスリン抵抗性発症の予知因子であることが報告されています (Diabetes Care 36：648-55, 2013)。分枝鎖アミノ酸は，骨格筋の脂肪取り込みを増加し，骨格筋にインスリン抵抗性を引き起こすと考えられています。最近，この分枝鎖アミノ酸を産生する細菌である*Prevotella copri*や*Bacteroides vulgatus*が，インスリン抵抗性を有する患者の腸内に多く存在することが臨床研究で報告されています (Nature 535：376-81, 2016)。

■ 理論上はロイシン，リジン以外のアミノ酸の摂取は血糖を上昇させる可能性が考えられますが，臨床研究からはタンパク質の摂取による血糖の上昇はわずかであることが示されています (Diabetes 62：1435-42, 2013)。また余剰なアミノ酸はピルビン酸などを経由して脂肪酸合成にも利用されますが，これらのアミノ酸からの脂肪酸合成に関する制御機構の詳細は明らかではありません。

③ 脂質の摂取，合成，代謝 (図1)

■ 脂質とは，一般に水に溶けずエーテルなどの有機溶媒に溶け，体内で利用される有機物であり，単純脂質 [トリアシルグリセロール (中性脂肪) など]，複合脂質 (リン脂質，セラミドなど)，誘導脂質 (コレステロールなど) などに分類されます。

■ 食事中の脂肪は炭素数14～18の長鎖脂肪酸のトリアシルグリセロールが多いです。脂肪酸は炭素が直鎖状につながりカルボキシル基を末端に有しますが，炭素同士が二重結合を有していない飽和脂肪酸，1個の二重結合を有する一価不飽和脂肪酸 (MUFA)，2個以上の二重結合を有する多価不飽和脂肪酸 (PUFA) に分類されます。

■ 長鎖脂肪酸のうち飽和脂肪酸は，ラード，牛脂などの動物性脂肪やパーム油，やし油などに含まれるパルミチン酸 (C16:0)，ステアリン酸 (C18:0) が多いです。またラウリン酸やミリスチン酸も，やし油やパーム油から得られます。一方，一価不飽和脂肪酸は，菜種油，サフラワー油，オリーブ油から得られるオレイン酸 (C18:1) が中心です。多価不飽和脂肪酸は二重結合を有する位置の違いでn-3系とn-6系に分類でき，n-3系には亜麻仁油，シソ油に多く含まれるα-リノレン酸，魚油に多いエイコサペンタエン酸 (EPA)，ドコサヘキサエン酸 (DHA) があり，n-6系では植物油に多いリノール酸などが代表として挙げられます。ここで挙げたリノレン酸 (C18:3 n-3系)，リノール酸 (C18:2 n-6系) はヒトが有する不飽和酵素 (desaturase) ではつくることができないため必須脂肪酸と呼ばれ，食物から摂る必要があります。血中n-3系脂肪酸濃度が高値

である対象者では糖尿病発症のリスクが低減する可能性が疫学調査から示されています（Diabetes Care 37：189-96, 2014）。しかし，サプリメントとしてEPAやDHAを投与することの糖代謝への有益性は明らかではありません。

（1）トリアシルグリセロール（中性脂肪）の摂取，合成，代謝

- 中性脂肪は，1分子のグリセロールに3分子の脂肪酸がエステル結合したもので，食事中の脂質の多くを占めますが，摂取された脂質はリパーゼ，コレステロールエステラーゼで分解され，炭素数が10以下程度の短い脂肪酸はそのまま肝臓に取り込まれ，その他の脂肪酸は再びトリアシルグリセロールを構成し吸収されます。吸収された脂質は水に不溶であるため，アポ蛋白とともにカイロミクロンを生成し血中に放出されます。カイロミクロンのほとんどは中性脂肪であり，組織のリポプロテインリパーゼ（LPL）で分解されて組織に脂肪酸を受け渡します。

- 生体内での脂肪酸および中性脂肪の合成は，グルコースの代謝産物のグリセロール-3リン酸と脂肪酸をエステル結合してなされます。エネルギーが余剰なときに，アセチルCoAカルボキシラーゼ（ACC）の触媒で細胞質のアセチルCoAがマロニルCoAとなり，脂肪酸合成酵素複合体（fatty acid synthase：FAS）にてC16脂肪酸が形成されます。さらに鎖長の延長や不飽和化を受け，ジアシルグリセロールアシルトランスフェラーゼ（DGAT）の触媒を経て，中性脂肪が形成されます。

- 脂肪酸はエネルギー源として中性脂肪の形で存在するのみならず，細胞膜を構成するリン脂質や細胞内シグナル分子となるホスファチジルイノシトールビスリン酸の構成成分でもあり，この生成には前述の必須脂肪酸が重要です。

- 絶食時などに脂肪組織の中性脂肪が脂肪酸として動員されるときは，細胞質に存在するホルモン感受性リパーゼ（hormone sensitive lipase：HSL）により加水分解され，アルブミンに結合して血中を運ばれます〔遊離脂肪酸（free fatty acid：FFA）〕。細胞でエネルギーが欠乏し脂肪酸が利用されるときは，2個の炭素が減じアセチルCoAが生成されるβ酸化と呼ばれる代謝経路が利用されます。細胞質のペルオキシソームとミトコンドリアでβ酸化が行われ，アセチルCoAが生成されエネルギーとして利用されますが，アセチルCoAがTCA回路を回って代謝されるためには，ある程度のオキサロ酢酸が必要です。

- したがって，脂肪酸だけが唯一のエネルギー源であるときは，TCAサイクルが機能せずミトコンドリア内にアセチルCoAが貯まり，貯まったアセチルCoAはケトン体〔アセトン，アセト酢酸，β-ヒドロキシ酪酸（βOHB）〕に変換され血中に放出されます（ケトーシス）。主に肝臓で産生されたβOHBは輸送体SLC16Aを介して血中に放出され，他の臓器でエネルギー源として利用されます。

- 心筋や神経細胞ではMCT1/2を介してケトン体を取り込み，アセチルCoAに変換されTCA回路で利用されます。

(2) コレステロールの摂取，合成，代謝

- コレステロールは生体膜や副腎ホルモン，性ホルモン，胆汁酸などステロイド骨格を有するホルモンの重要な構成成分です。体内で合成される量が多く，再回収機構が効率的に働いており，血中のコレステロールレベルは食事の影響を受けにくくなっています (Circulation 118：2047-56, 2008)。

- コレステロールの合成は主に肝臓で行われ，アセチルCoAから3-ヒドロキシ-3-メチルグルタリルCoA (HMG-CoA) を経て，HMG-CoAレダクターゼにてメバロン酸となり，スクワレンを経て合成されます。コレステロールの各臓器間の輸送にはアポ蛋白と結合しリポ蛋白を形成する必要があり，VLDL (very low density lipoprotein)，IDL (intermediate density lipoprotein)，LDL (low density lipoprotein)，HDL (high density lipoprotein) が利用されます。VLDLは肝臓でつくられ循環に放出され，臓器のLPLにより中性脂肪を失い，小型のコレステロールに富んだLDLへと変化していきます。そのLDLはLDL受容体を介して末梢組織にコレステロールを供給します。逆にHDLは末梢組織からコレステロールを引き抜いて肝臓に運び，またはコレステロール逆転送経路を介し中性脂肪とコレステロールを交換しIDLなどに供与します。コレステロールは胆汁酸の構成成分でもあり，便中に多く排出されます。

4 三大栄養素のシグナル分子としての意義

- 三大栄養素はエネルギー源であり，また組織を構築する基質ですが，それ以外にもシグナル分子としての役割も有しています。ロイシン，グルタミン，アルギニンといったアミノ酸はインスリン分泌を促進し，脂肪酸は短期間ではインスリン分泌を促進するものの長期間の曝露ではインスリン分泌を減弱するとされています。またケトン体のひとつであるβOHBがhistone deacetylaseの内因性の阻害物質であることが見出され，個体の代謝状態が転写制御にも関与することが示されています (Science 339：211-4, 2013)。また，βヒドロキシブチル化としてエピゲノム修飾のひとつとして理解されています (Cell Rep 36：109487, 2021)。

- 炭水化物の腸内細菌による発酵で生じる酢酸，酪酸，プロピオン酸などの短鎖脂肪酸はGPCR41やGPCR43の受容体を介してインスリン抵抗性を惹起する可能性が示されており，発酵をエネルギー出納の視点からのみで理解するのでは不十分かもしれません (Nat Commun 4：1829, 2013)。

- また実際の食事においても糖質を摂取したときに，一緒に脂質を摂取していたほうが血

糖値が上昇しにくい (J Am Coll Nutr 28：286-95, 2009)，一緒にタンパク質を摂取していたほうが血糖値が上昇しにくい (Diabetes Care 7：465-70, 1984) ということが知られています。

■ このように三大栄養素ならびに関連する代謝産物も栄養センサーとしての働きを有している可能性があります。

5 糖質制限と体組成の恒常性

■ 以上，三大栄養素の摂取，合成，代謝およびその相互連関について解説しました。三大栄養素は相互に基質をシェアすることで，様々な栄養状態に対して個体の体組成の恒常性を維持していると考えられます。すなわちグルコースは脂肪酸やアミノ酸に変換可能で，アミノ酸はグルコースに変換可能であり，脂肪酸はグルコースに直接変換はできないもののβ酸化でケトン体を生成しエネルギー分配に関与しています。

■ 実際に，同等のエネルギーを摂取していても高タンパク質食ではエネルギー消費が亢進して体重減量を維持しやすいことが示唆されています (Adv Nutr 4：418-38, 2013)。一方，低脂質食では，エネルギー消費が低下して体重減量を維持しがたいことが報告されています (JAMA 307：2627-34, 2012)。

■ 疫学調査から，たとえば炭水化物を摂ることが困難な民族が生存していることも知られており，人体において合成できない必須物質以外の組成については，人類は限られた材料を巧妙に利用し賄う術を有しているようです (JAMA 199：107-12, 1967)。

■ したがって一個人に適した食事処方ですら容易ではなく，さらに糖尿病を有している人に至っては困難を極めます。処方する対象の糖尿病患者さんがインスリン抵抗性を有する肥満を合併した患者さんであるのか，腎症を合併した患者さんであるのか，インスリン分泌が枯渇している痩せ型の患者さんであるのかによって食事処方は異なってしかるべきです。しかし病態に応じた食事処方の臨床効果を前向きに検討した臨床試験は現在のところ皆無に近いです。

■ それでも上記の知見をふまえると，ある程度自分のインスリン分泌を保つことができている糖尿病患者さんにとって，糖質の摂取量を制限することが個体の体組成維持に著しく有害であるとは考えにくいと思われます。

■ たとえばエネルギー摂取量を抑制して減量を行う際に喪失する筋肉量が，糖質制限のために大幅に増加することは予測しがたいです。逆に筋肉量が糖質制限食で増加したという報告もあります (Metabolism 51：864-70, 2002)。

■ また血糖値はそもそも摂取されるグルコースによって一定に保たれているわけではなく，上述の通りグリコーゲン分解，糖新生により厳密に管理されています。したがって，

グルコースを主たるエネルギー源とする神経組織に供給するグルコースが枯渇することは，糖質制限食でしかるべきエネルギーを摂取している限り生じないでしょう．

- ただし，糖質制限食を処方することで腎臓に窒素排泄の負荷がかかる可能性は否定できないため，タンパク質摂取量が著しく増えていないかどうかは血中尿素窒素濃度でモニターする必要があります (Diabetes Care 36：3821-42, 2013)．また，脂肪酸のβ酸化が促進されケトン体産生が亢進することが報告されていますが，過剰なケトン体産生によるケトアシドーシスの発症は避けなければなりません (PLoS One 8：e58172, 2013)．さらに，糖尿病患者さんでは偏食傾向を認めることがあるため，糖質制限においても，微量元素や各種ビタミンを摂取できるように幅広く食材を利用した食事を勧めることについては言うまでもありません．また最近，糖尿病治療薬としてナトリウム-グルコース共輸送体 (sodium glucose co-transporter：SGLT) 2阻害薬が上市され，使用実績が蓄積されています．同剤はケトン体産生を促進することが知られており，糖質制限の食事療法中には同剤によるケトアシドーシスリスクは増加すると考えられます．欧米では糖質制限の食事療法を実施中には，SGLT2阻害薬は中止するようにとの提案があります (Br J Gen Pract 69：360-1, 2019)．

- 本章で述べた三大栄養素の相互連関を意識しつつ，眼前の糖尿病患者さんの血糖管理と体組成の改善に至適な食事を検討していく必要があります．

入江潤一郎

実践編

実践編

4章 「緩やかな」糖質制限の実際

- ■ 「緩やかな」糖質制限食（ロカボ食）は，1食の糖質20〜40gを3食，間食の糖質10gで，1日の糖質は130gを超えないようにすることを目標としています。

- ■ 米には我々日本人にとって日本の有史以来，文化の中心として単なる食品以上の思いがあります。また，昔は米をたくさん食べていたのにもかかわらず，糖尿病などの生活習慣病がみられなかったことから，米は糖尿病の原因にはならないと思う人もいます。

- ■ もちろん，ある程度のエネルギー制限のもとにおいては，米を主食とする日本の伝統的食生活は生活習慣病の予防に効果があったと思います。しかし，現代のように活動量の少ない日常と，過剰なエネルギー摂取が加わった生活様式において，米に偏った食事による糖質の過剰摂取から血糖の上昇をまねくことは，誰もが理解できることです（Diabetes Care 43：2643-50, 2020）。

- ■ そこで，おいしいものを食べながら無理なく，楽しく続けられる食事療法として，ロカボ食が重要な位置を占めてきています。

1 栄養指導の進め方

- ■ 私たちは，次の2つのタイプにわけて栄養指導対象者での有効性を勘案しながら，ロカボ食の普及に取り組んでいます。

TYPE1：『糖尿病食事療法のための食品交換表』を使用してエネルギー制限の食事療法を実践していた人

TYPE2：食事療法が面倒でやりたくない，あるいは現在の食生活とかけ離れたことができない人

TYPE 1 『糖尿病食事療法のための食品交換表』を使用してエネルギー制限の食事療法を実践していた人（食品交換表をある程度理解している場合）

指導の手順

1 糖質，脂質，タンパク質の体内での代謝についての簡単な説明

- ■ **糖質**：口から摂取したあと，ブドウ糖に分解され吸収されることにより，血糖値を上昇させ，体内を循環してエネルギーを供給します。グリコーゲンとして貯蔵できる量は肝臓に70〜90g，筋に200〜250g程度であり，それを超える余剰分は貯蔵脂肪（中性脂肪として）となります。

■ **脂質**：糖質と同じようにエネルギー源となりますが，糖質の2倍以上の高エネルギー源でありながら血糖値を上昇させません。脂溶性ビタミンの吸収を助ける働きがあります。余剰分は貯蔵脂肪となり，必要に応じてエネルギー源として供給されます。

■ **タンパク質**：アミノ酸に分解され，最終的には体の各構成成分の蛋白質としてつくり変えられ，筋肉や臓器などの主な成分として様々な働きをします。また，アミノ酸は必要に応じてブドウ糖に変換され，エネルギー源として使われます。

■ 上記3つの栄養素をまとめて三大栄養素と呼びます。

2 各栄養素が血糖値に及ぼす影響についての説明

■ 前述しましたが，三大栄養素にはそれぞれ働きがあります。糖尿病になぜ糖質制限食が効果的であるかというと，熱量を発生する三大栄養素の中で，血液中にブドウ糖として運ばれて血糖を上昇させるのが糖質だからです。

■ 三大栄養素が，食後の血糖値にどの程度影響しているかということを患者さんに説明します。脂質やタンパク質は，血糖値にほとんど影響を与えません。

■ 糖質を制限すると，代わりに脂質やタンパク質からエネルギーを摂取する必要が出てきます。

•脂質からエネルギーを摂取する場合：マーガリンなどのトランス脂肪酸や酸化した油を避ければ，特に制限はありません。

•タンパク質からエネルギーを摂取する場合：ソーセージやちくわなどの加工品は，塩分の過剰摂取につながるので避けることが必要です。

3 主たるエネルギー源を糖質から脂質に変えることについての説明

■ 合併症を予防して健康的な生活を継続するためには，次の点に注意してタンパク質と脂質を増やすことを勧めています。

①**タンパク質の摂取**

•肉の摂取に制限はありません。また，魚，豆腐や納豆などの大豆製品，卵やチーズなども重要なタンパク質です。

②**脂質の摂取**

•使用する油は，動脈硬化予防の点から，マーガリンやファットスプレッドなどトランス脂肪酸が多い油や，揚げ物に使用された酸化した油を控えることが大切です。

③**食物繊維の摂取**

•糖質を制限すると穀類，いも類の摂取量が少なくなり，穀類などから摂取していた食物繊維の不足が考えられます。そこで，糖質含有量の少ない葉物野菜やきのこ，海藻などを今までより多く摂取して食物繊維の不足を補うことが大切です。また，食物繊維を手軽に摂取するには，小麦ふすまや大豆粉を利用したパンやお菓子などを効果的

に利用するのもよいでしょう。

4 糖質の多い食品についての説明

- **表1**を参考にして，食品ごとに含まれる主な糖質について理解してもらいます（詳しくは，**巻末表「食品の糖質量一覧」参照**）。
- 患者さんの中には，食品や料理に極端な思い込みを持つ人がいるので，制限内の糖質量であれば，食べてはならない食品はないことを理解してもらいます。
- 一方，エネルギー制限を真面目に実行してきた患者さんでは，「食べてもよい」と説明すると，その食品を過剰摂取する傾向がみられます。糖質含有量の少ない食品であっても過剰摂取にならないように注意が必要です。
- これらを防ぐために，定期的な誘導を行い，食事記録や聞き取りにより修正していくことは，エネルギー制限の指導と何ら変わりはありません。

表1 食品に含まれる糖質の目安

糖質が少ない食品		糖質が多い食品
－	主食	ご飯，パン，麺類，穀類，粉物全般，シリアル
肉，魚介，卵，乳製品	動物性タンパク質	－
野菜全般（右の野菜を除く）。玉ねぎ，フルーツトマト，にんじん，パプリカは，食べる量によっては注意	野菜	じゃがいも，さつまいも，かぼちゃ，とうもろこし，れんこん，百合根，切干大根
大豆，枝豆	豆類	豆類全般（左の豆類を除く）
ナッツ類，ごま	ナッツ・種実類	栗，ぎんなん
イチゴ，ラズベリー，パパイヤ，レモン	果物	果物全般（左の果物を除く）
油脂全般	油脂	－
低糖質甘味料	調味料	砂糖，はちみつ，ソース，ケチャップ，みりん，オイスターソース，片栗粉，葛粉
寒天，こんにゃく，しらたき 豆腐などの大豆製品	その他	春雨

5 『糖尿病食事療法のための食品交換表』を使用したロカボの実施方法の説明

- エネルギー制限食を行うにあたり，日本糖尿病学会より出されている『糖尿病食事療法のための食品交換表』（以下，食品交換表）の利用経験があると理解しやすく，簡単にロカボ食を実施できるため，各食品成分の確認から入るより指導しやすくなります。そこで，各食品群別の摂取について説明します。

① **糖質主体の食品**（食品交換表の表1，2，調味料，嗜好品）**を理解してもらう**

- 糖質を多く含む食品は，食品交換表の表1，2，調味料，嗜好品であることを食品交換表の写真で確認して，理解してもらいます。これらの食品に限っては，決められた量を守って摂取することが糖質制限の1番大きなポイントです。
- 食品交換表の表1の1単位は糖質約20gであり，1食の摂取上限は2単位です。間食

で血糖に影響しにくい糖質は 5 〜 10 g であることから，1/2 〜 1/4 単位となり，これら糖質主体の食品からは間食は摂取できないことも実感してもらいます。

- また，食品交換表の糖質量には食品成分表（文部科学省：日本食品標準成分表 2020 年版）と比べて誤差もあるので，よく利用する食品に関してはその場で糖質量を確認して誤差を解消します。

> 例：食パン 6 枚切 1 枚は 2 単位＝糖質は食品交換表で 26.6 g ➡ 食品成分表で 28.9 g

② 食品交換表の表 3 は自由に！

- タンパク質源として肉・魚と同じグループに大豆製品やチーズがあることを確認し，高タンパク質食品の選択肢を狭めないよう注意します。

③ 食品交換表の表 4 は 1 単位，糖質 10 g 程度であるが，食品によっても大きく異なることを説明する

④ 食品交換表の表 5 も自由に！

⑤ 食品交換表の表 6 は意識してたくさん摂取するように指導する

◎

- 食品交換表を利用した糖質配分については，嗜好，仕事や生活上の社会状況を考慮して以下の 3 通りの方法から患者さんが選択して実践できるようにします。また，その日の気分や環境に対応して，自由に変えられるように指導をしています。

① ご飯などの主食量をある程度設定して，そのほかの食品から糖質を摂取してもらう

- 北里研究所病院（以下，当院）の患者食はこの方法によりメニューを構成しましたが，主食をある程度食べたいという希望を叶えることと，食品の数を多く食べることができ，食物繊維を多く摂取したり，減塩の考慮など，糖尿病の食事療法として好評です。

② 主食で糖質 40 g を摂取して，そのほかを原則として糖質のない食品から摂取してもらう

- ご飯を多く食べたいという嗜好があるときに勧めています。

③ ご飯などの主食を摂取しないで，糖質の少ない食品を比較的自由に摂取してもらう

- 食品交換表の表 1，2，および糖質の多い食品（表1）をやめて，そのほかの食品は自由に摂取します。糖質の多い食品を避け，「糖質の少ない食品」と「砂糖などの調味料からの糖質のみ」だと，糖質がほぼ 40 g 以下に抑えられます。

6 糖質制限食の料理構成など写真によりイメージをつかんでもらう（図1）

- 図1A はご飯を中心とし肉と野菜を使った従来のエネルギー制限食ですが，図1B のように主食のご飯を減らし果物をチーズオムレツに変更することでロカボ食となります。

- 今まで制限していた物を摂取することになるので，実際の写真を見せてイメージで糖質制限食をとらえてもらうことは非常に大切です。

- ご飯（180g）
- ミートローフ
- コールスローサラダ
- 果物（りんご）
- 味噌汁
602kcal
P：F：C（%）➡ 16 ： 24 ： 60
　　　　　　　（25g）：（16g）：（90g）

- ご飯（70g）
- ミートローフ
- コールスローサラダ
- チーズオムレツ
- 味噌汁
620kcal
P：F：C（%）➡ 22 ： 52 ： 26
　　　　　　　（34g）：（36g）：（40g）

図1 ロカボ食の料理構成例

P：F：C＝protein（タンパク質）：fat（脂質）：carbohydrate（炭水化物）

TYPE 2

食事療法が面倒でやりたくない，あるいは現在の食生活とかけ離れたことができない人（食品交換表を使用したくない，できない場合）

- ご飯などの主食や，いも類など糖質を多く含む食品を制限して，糖質の少ない食品をカロリー計算なしに摂取することにより1日の糖質量を調整する簡易的な方法です。
- 対象として，食事療法ができない，面倒くさいなどの理由から食事療法離脱傾向の強い患者さんを考えています。このような患者さんは食品交換表を理解していないので，さらに以下のような注意事項が必要になります。

指導の手順

 1 糖質と炭水化物は違うことを理解してもらう

- 糖質と食物繊維を合わせたものが炭水化物であり，制限するのはあくまでも糖質です。食物繊維自体は，糖質の吸収を緩やかにして血糖の上昇を遅らせる働きがあります。また，血中コレステロールの改善効果，腸内細菌叢の改善により善玉菌を増やし，便秘，下痢の防止に役立ちます。

2 食物繊維の不足を補う

- ロカボを継続すると，穀類，いも類の摂取不足により，そこに含まれる食物繊維の不足が考えられます。そこで，葉物野菜，きのこ，海藻などの摂取を勧め，食物繊維不足を解消するようにします（**35頁③食物繊維の摂取参照**）。
- ロカボ食品の紹介もしています（**下記および40〜41頁参照**）。

3 タンパク質摂取時の注意点

- "糖質"制限ということで，糖質がなければ無制限に食べてもよいと思い，味つけに，みりんや甘味噌を使用した肉を過食する傾向も見受けられます。
- タンパク質を多く含む食品を選択する場合，魚，肉，卵，豆腐や納豆などの大豆製品，チーズなどの乳製品は素材の味を大切にして薄味にすることで，過食による塩分の過剰を防ぐことができます。また，たっぷりと油を使って料理することも有効です。

2 主食の糖質を少なくして満足感を得る工夫

（1）食パンの耳を切り落とす

- 食パンの耳を切ると重さが減り，枚数が食べられるため満足感が高くなります。

例：食パン1枚（8枚切約45g，糖質21.7g）の4辺の耳を切り落とす
➡ 30g，糖質14.5g

（2）ご飯をお粥にする

- ご飯70gの糖質は約27gですが，これをお粥にして食べるとお粥の量は170gになり，かさが増えるので，主食として満足感が得られます。

（3）ご飯自体の量を見かけ上増やす

- 米約50gを炊くと，炊き上がりは約110g（糖質42g）になります。以下のような製品を利用すると，見かけ上ご飯が増え，ご飯をたくさん食べたいという欲求を満たすことができます。
- たとえば，米50gに寒天（カロリーポコつぶつぶ寒天，伊那食品工業）を3g追加すると，炊き上がりは170g（糖質42g）になります。また，米約40gにこんにゃく加工食品（マンナンヒカリ®，大塚食品）を20g（糖質12.1g）追加すると，炊き上がりは160g（糖質約40g）になります。
- さらに，寒天やこんにゃく加工品からの食物繊維の摂取も付加されます。

実践編

③ 外食

(1) 上手に料理店を利用する方法（表2A）

- 糖質制限メニューを常備しているレストランも増えていますので探してみて下さい。

表2A → 料理店別の外食ポイント

料理店	ポイント
焼肉，ステーキ	・タレに多量の砂糖を使用していることが多いので，タレ・ソース類はかけずに塩・こしょうで食べると，たくさん食べても安心。ガーリックライスなどのご飯は，主食量を参考にする
とんかつ	・ソースを使っても糖質20gほど。ライスを減らす（衣をはがすのは店に失礼でもあり，お勧めしない）
寿司	・刺身などつまみを中心に食べ，最後にご飯を少なめに握ってもらったにぎりを4〜8貫ぐらい（通常の寿司1貫は米20g）にする ・ガリには砂糖が入っているため食べすぎに注意する
和食，居酒屋	・和食には砂糖，みりん，片栗粉など糖質の多い調味料や材料が多く使われている。つきだしの料理は甘くなくても砂糖を使用していたりする場合があるので注意する。ご飯，麺，いも類などのメニューは控えて，他はある程度自由に食べても制限内で収まる ・酒は焼酎などの蒸留酒にして，焼き鳥などのタレを使用する料理は塩味を選ぶ ・果物やデザートは控える ・懐石料理も同様にする
イタリアン	・パスタ，リゾット，パンを食べる場合は糖質20〜40g以下の主食量を目安に摂取して，野菜，魚，肉を素材とした料理を中心に選ぶ ・ドライフルーツ，果物，デザートは控える
中華料理	・砂糖や片栗粉などを使用した，あんやとろみの多いメニューは避ける ・チャーハンや麺は，糖質20〜40g以下の主食量を参考に摂取する ・点心は皮に糖質が多いため，控えるほうが糖質量を加減しやすい ・上記を実行しても全体的に糖質が多いメニューになるため，デザートは控える
定食屋	・大盛りのご飯を中心にしたメニュー構成になっているため，ここでのロカボはコストがかかる ・小鉢として，ほうれん草のおひたしや豆腐などを選ぶことができる店を選ぶ ・主食は糖質40g以下の量を目安に，焼き魚や焼肉など素材だけの料理を選択して，糖質の少ない小鉢を選択する
ラーメン	・麺は糖質40g以下の主食量を目安にする ・単品で卵，チャーシュー，野菜を追加する
そば	・麺は糖質40g以下の主食量を目安にして，単品で魚，卵，野菜料理などを追加する
すき焼き，しゃぶしゃぶ	・食事の最後にご飯やうどんを食べるときは，糖質20〜40g以下の主食量を目安にする ・すき焼きの甘いタレは砂糖が多いので要注意 ・麩，葛きり，春雨などの材料は糖質主体のため控える
うなぎ	・うな丼は避けて，単品で注文し，蒲焼きよりも白焼きにする
天ぷら	・天ぷらの衣に糖質が多く含まれているため，ご飯（お茶漬けや丼）を控える ・天ぷらの衣の薄い店を選ぶ（結果として，おいしい天ぷら店を選ぶことになる）
フレンチ	・つけ合わせのパンは避ける ・口直しは控え，デザートの代わりにチーズにする
カレー	・ご飯，ナンの代わりに肉や野菜料理を追加する
韓国料理	・粉物や春雨などを使用した料理が多く，味つけに砂糖を使用する場合が多いため，素材の見えるメニューを選ぶ
ファミリーレストラン	・メニューにはエネルギーしか表示されていないお店もあるため，前もってホームページで糖質量を調べておくと利用しやすい

主食の糖質量の目安：おかずをしっかり食べるなら20g，おかずをほとんど食べないなら40g以下

表2B ファストフード店別の外食ポイント

ファストフード店	ポイント
マクドナルド	マフィンや，普通のハンバーガーやチーズバーガーなど糖質30g前後の商品を選べば，サイドサラダやチキンマックナゲット5ピースを追加しても糖質40g程度に制限ができる
ケンタッキーフライドチキン	フライドチキンは糖質約10g以下，ツイスターは約30g前後である
フレッシュネスバーガー	バーガーはダブルやクリスピーカツバーガーでなければおおよそ糖質40g以下。ホットドッグは糖質30g以下になっており，サラダやグリルドチキンを追加しても40g以下に調整できる。一部店舗を除き低糖質バンズを用意している
モスバーガー	カツバーガーやダブルバーガーでなければ，糖質40g以下に調整ができる。パンの代わりにレタスで挟んだメニューもある
すき家	牛丼ライトは，豆腐の上に野菜と牛肉煮をのせたもので，糖質15.6g。他にも牛皿だと冷や奴，サラダなどを追加しても40gに調整できる

- ロカボメニュー以外でも，よく利用するメニューの糖質量（炭水化物量）を把握しておくよう指導します。

（2）上手にファストフードを利用する方法（表2B）

- 主なファストフード店は，ホームページで商品の糖質量を公開しており，利用する前に調べておくと有効に活用できます。主なファストフードの商品の糖質量と，利用の際の目安を 表2B に挙げてみました。

（3）上手にコンビニエンスストアを利用する方法

- コンビニエンスストアは，外でロカボをする際には簡単に多品目の食品が摂取でき，コストもかかりにくいので，以下に注意しながら上手に利用することを勧めます。

- 商品の栄養表示，特に糖質量を確認する。糖質の表示がない場合，念のために炭水化物の値を糖質と考える。

- ファストフーズ商品（おでん，フライ，中華まん）は栄養表示がないため，ホームページで確認するとよい。

- 主食のおにぎり，サンドイッチを1つ選び，タンパク質の豊富なゆで卵，チーズなどとサラダを組み合わせると，糖質40g以下のロカボ食になる。

- 甘い味つけのおかず，つけ合わせのポテトやコーン，サラダの場合はポテトサラダやマカロニサラダでは糖質量が増えるので注意する。

商品の選択例

- 選択例1：おにぎり1個（糖質約40g）＋おかず＋サラダ
- 選択例2：サンドイッチ1パック（糖質約20〜30g）＋サラダ＋スープ
- 選択例3：サラダパスタorミニそば（糖質約40g）＋おかず

実践編

4 間 食

- おやつ，間食は誰にとっても楽しみであり，幸せな食生活の重要な要素です。
- 当院では，1日に10g以下の糖質量であれば，積極的に摂取するように勧めています。

(1)コンビニエンスストアで買える糖質10g以内の商品（表3A）

- 手軽に食べられるナッツ類がお勧めです。また，お酒のつまみになるようなするめいか，昆布，ジャーキー，小魚，卵などもよいでしょう。一般に糖質の多い菓子も，このような糖質に配慮した商品なら，糖質10g以内に抑えられます。

表3A 間食向けの商品例とその糖質量：コンビニエンスストア等

分類	商品名	販売元	分量	糖質量
プリン	おいしい低糖質プリン（カスタード）	森永乳業	1個	3.3g
アイス	SUNAO（バニラ）	江崎グリコ	1個	8.0g
和菓子	糖質をおさえたようかん（小豆）	榮太樓總本鋪	1本	9.8g
洋菓子	糖質を考えたプチシュークリーム	モンテール	1袋	9.2g
焼き菓子	小麦ブランのチョコチップクッキー	ローソン	1袋	5.5g

表3B 間食向けの商品例とその糖質量：低糖質菓子類を販売している店

店名	商品名	分量	糖質量
レザネフォール	スフレ オ フロマージュ	1本	31.5g
モンサンクレール	ショコラ ユニバース	1枚	0.47～0.98g
クリオロ	スリム レアチーズ スフレ	1/3カット	約5g
トシヘルシースイーツ	低糖質ロールケーキ（抹茶）	1本	11.3g
ウェスティンホテル東京	低糖質カマンベールチーズケーキ	1個	5g

(2)低糖質菓子類（表3B）

- 低糖質デザートを常備している店などを紹介します。インターネットからの注文もできるのでお気に入りを探してみましょう。

(3)手づくり菓子の材料紹介

- 代用品を上手に利用すれば低糖質の菓子をつくることができます。生クリーム，卵，寒天は糖質を含んでいないため使用してもかまいません。

代用例

- 小麦粉 ➡ 小麦ふすま，大豆粉，アーモンドパウダー
- 砂糖 ➡ 甘味料（ラカント®S，パルスイート®カロリーゼロ，シュガーカット®ゼロ）
- 牛乳 ➡ 無調整豆乳，低糖質豆乳
- チョコレート ➡ カカオ70％以上のチョコレート

シチュエーションに応じた実行例(簡単に早く実行するには)

朝食：事前に用意できる食材を使うことで，朝の短時間で準備できる
- 食パン（8枚切1枚45g） 糖質約22g
- グレープフルーツ（1/2個可食部100g） 糖質約8g
- 牛乳（1パック200g） 糖質約9g

レタス，キャベツなどの葉物野菜，バター，マヨネーズなどの油脂類は制限しない。食パンを低糖質パンに，グレープフルーツをオレンジ1/2個，バナナ1/2本などに変更したり，チーズを追加したりして，手軽に実施できる方法を決めておくと継続しやすい

昼食：コンビニエンスストアやファストフードの利用（**41頁参照**）

夕食：(外食）宴会
居酒屋メニューから糖質を主体に使用したメニューを除外して，満腹になるまで食べる。麺類，ご飯もの，ポテトフライ，餃子，チヂミなどのほか，鍋ものの後のおじやや，帰宅途中にラーメンを食べることも避ける

 果物の血糖値への影響

■ 果糖は血糖値に影響しないと言われますが，果物に含まれるブドウ糖，果糖，ショ糖の含有量により血糖値に影響する場合も考えられますので，**表4**を参考にブドウ糖とショ糖の多いもの（☐部分）には注意が必要です。

表4 果物の糖組成表

果物（品種）	全糖	ショ糖	ブドウ糖	果糖	ソルビトール
うめ（白加賀）	0.47	−	0.17	0.13	0.30
黄桃（ナポレオン）	7.61	0.21	4.25	3.15	2.25
李（ソルダム）	7.54	4.42	1.58	1.54	1.01
桃（白桃）	8.95	6.96	0.85	1.14	0.12
ネクタリン	7.22	5.51	0.80	0.91	1.78
林檎（つがる）	9.31	2.31	1.86	5.19	−
梨（二十世紀）	8.58	1.95	1.76	4.87	0.78
葡萄（巨峰）	15.54	0.77	7.23	8.27	−
柿（富有）	14.80	8.48	4.00	2.32	−
温州みかん（早生）	6.44	2.41	1.76	2.27	−
バナナ	14.57	10.71	2.04	1.82	−

（小宮山美弘, 他：果実の糖組成表. 果実の機能と科学（伊藤三郎, 編）. 朝倉書店, 2011, p51より引用）

7 アルコール飲料の糖質量

- アルコール飲料は，糖質が含まれている場合は血糖値に影響します。
- ウイスキーや焼酎などの蒸留酒は糖質が含まれていないので，血糖値の上昇という点からは飲んでもかまいません。しかし，糖質の含まれるアルコールを飲むときは，表5を参考に糖質量を計算してもらいます。

表5 → アルコール飲料の糖質量

種類	100mL中 糖質（g）	常用量の糖質
赤ワイン	0.2	1/2本（375mL）当たり0.8g
白ワイン	2.5	1/2本（375mL）当たり9.4g
純米酒	2.3	1合（180mL）当たり4.1g
純米吟醸酒	2.5	1合（180mL）当たり4.5g
ビール	Tr	大ジョッキ（800mL）当たりTr

Tr：微量

8 人工甘味料

- マルチトール*以外の甘味料は気にせず使用を勧めます。
- 食品成分表示の注意点としては，ラカント®S，シュガーカット®ゼロなどに含まれる糖アルコールの一種「エリスリトール」は，「炭水化物」として表示されているので心配する患者さんも多くみられます。これらの商品は炭水化物の表記があっても体内で代謝されないため，糖質としてカウントしなくてよいと指導します。

　　＊マルチトール　2kcal/g

9 継続困難の主な理由

- 私たちの食事指導経験において，継続が困難な患者さんの中で以下のような理由がありました。ロカボを継続する際の参考にして下さい。
  - エネルギー制限時の脂質制限が身についているため，糖質も脂質も制限して継続困難な食事になってしまう。
  - もともと糖質過剰傾向で，ご飯（糖質）の過食が習慣化している。
  - 頂き物の糖質（お菓子や果物）が常に家にある。
  - 甘味料の甘さが口に合わない。
  - おやつとしてのチーズやナッツに飽きてしまう。
  - おかず偏重でコストがかかる。

- 上司や同僚と一緒の場合が多く，食事を残せない。

- 一般的な定食の場合ご飯を残すことになり，お腹が減ってしまう。

参考文献

1) 小宮山美弘, 他：果実の糖組成表. 果実の機能と科学 (伊藤三郎, 編). 朝倉書店, 2011, p51.

2) 科学技術・学術審議会資源調査分科会 (分科会長・石井久)：日本食品標準成分表2020年版 (八訂). 文部科学省科学技術・学術審議会資源調査分科会, 2020.
https://www.mext.go.jp/a_menu/syokuhinseibun/mext_01110.html (2021年12月22日閲覧)

3) 日本糖尿病学会, 編著：糖尿病食事療法のための食品交換表. 第7版. 日本糖尿病協会・文光堂, 2013.

4) 山田　悟：糖質制限の真実 日本人を救う革命的食事法ロカボのすべて. 幻冬舎, 2015.

5) Evert AB, et al:Nutrition therapy for adults with diabetes or prediabetes:a consensus report. Diabetes Care 42:731-54, 2019.

真田真理子，畑　妃咲

実践編

5章 「緩やかな」糖質制限の適応

1 適 応

(1)肥満, メタボリックシンドローム

■ 私たちの施設では糖質制限食を糖尿病治療食として採用していますが, 米国糖尿病学会 (American Diabetes Association：ADA) が糖質制限食を最初に認めたのは「減量」に対してでした。したがって, 肥満症の治療食としても有効だと思われます。

(2)ロコモティブシンドローム

■ 糖質制限食ではタンパク質摂取の割合が比較的高くなり, ロコモティブシンドローム[*1]の予防を考える上で大切なことだと考えています。

> ＊1 ☞解説：ロコモティブシンドローム（運動器症候群, locomotive syndrome）とは運動器の障害により, 要介護や要介護リスクの高い状態になること。主な疾患として, 骨粗鬆症, サルコペニア（筋肉の萎縮）, 変形性関節症などが挙げられる

■ 高エネルギー食を実行しても, 摂取タンパク質が少ないと筋肉や骨が減ってしまうことが2012年に報告されています (JAMA 307：47-55, 2012)。しかし日本では, 肉などのタンパク質の摂取は身体に悪いという概念が高齢者を中心に根強くあります。それは誤りです。
■ 糖質制限をし, しっかりとタンパク質を食べることは, 初老期において食後高血糖の予防だけでなく, ロコモティブシンドロームの予防にも有用であると考えられます。

(3)糖尿病, 耐糖能異常〔impaired glucose tolerance（IGT）〕

■ 糖質制限により食後高血糖を予防し, 血糖変動を小さくすることが可能です。血糖変動は, 酸化ストレスを生じて糖尿病合併症を引き起こすという概念が広く知られています。

(4)認知症

■ 血糖変動は認知機能とも関係しているという報告もあります (Diabetes Care 33：2169-74, 2010)。血糖変動が大きいほど認知機能が低くなっているというものです。
■ もちろん, 認知機能の低い人では, 健康的な食生活ができなくなったり, 運動量が減ったりして血糖変動が大きくなっているという可能性もありますが, 血糖変動が認知機能に悪影響を与えていることも考えられ, 糖質制限が認知症予防にも有用な可能性もあるのです。

（5）癌

■ 糖尿病が癌の発症と関係しているという報告は多数あり，日本人でも確認されています（Diabetol Int 4：81-96, 2013）。最近では，境界型の耐糖能障害すら，癌の発症と関係していることがわかってきました（Int J Cancer 138：1741-53, 2016）。高血糖が癌と関連する機序については様々な仮説が立てられており，おそらくそのすべてが正しいのだと思いますが，いずれにせよ糖質制限で血糖値を改善させること，あるいは高インスリン血症を是正することは，間違いなく癌の発症や再発予防につながることでしょう。

■ また，癌に対しては極端な糖質制限食（ケトン体産生食）も有用である可能性があります。ケトン体の一種であるβ-ヒドロキシ酪酸にはヒストン脱アセチル化酵素を阻害する作用（つまり，ヒストンのアセチル化を促進する作用）があります（Science 339：211-4, 2013）。このことによる酸化ストレス処理能力の向上が癌抑制につながる可能性が考えられています。

2 不適応の解除

■ 現在まで，緩やかな糖質制限により医学的なトラブルが生じたという報告はなく，明確に「この患者さんで実施してはならない」という禁忌はありません。以前私たちが糖質制限を指導しないことにしていた以下の場合も，一定の条件のもと，糖質制限を指導するようになりました。なぜ指導可能と判断するようになったのかご説明します。

（1）顕性蛋白尿があってタンパク質制限食が必要な場合

■ 顕性蛋白尿がある場合，かつてはタンパク質制限食（体重1kg当たり0.8g程度）が指導されることになっていました。糖質制限食では相対的に高タンパク質食（私たちの経験では体重1kg当たり1.6g程度）となります。ですから，3期（顕性蛋白尿期）以降の腎症の方には糖質制限の指導を避けるべきかもしれないと説明していました。

■ 2013年にADAは栄養ガイドラインを改訂し，タンパク質制限食は推奨されないとしました。それは，腎機能の経過に対してタンパク質制限食が影響を与えないからであると明記されています。

■ また，Nielsenらの症例報告では，罹病年数が20年に近い4期（腎不全期）の患者さんに緩やかな糖質制限食を導入したところ，6年間で3mg/dL程度まで上昇していたCrが，その後，数年にわたって安定するようになったことが示されています。Nielsenらは「糖質制限食で腎機能が悪化するという誤解が，2型糖尿病治療にきわめて有効な糖質制限食導入の障壁になっている。糖質制限食は末期腎不全（透析や腎移植）を予防しうる食事法かもしれない」と結論づけています（Nutr Metab 3：23, 2006）。

■ 上記のように，タンパク質制限食の医学的意義が確立しておらず，糖質制限食が腎不全期

腎症患者さんの末期腎不全への進行を抑制するのに有効だった症例報告があるため，私たちは2016年から顕性腎症以降の患者さんへも糖質制限食を指導することにしました。

(2) 1型糖尿病の場合

- 1型糖尿病（特に一般的な急性発症例や劇症例）では，突然糖尿病と診断され，その日からインスリン注射を一生涯継続するように求められます。ショックを受け，何らかの懲罰ではないかと考えたり，受容できずにインスリン注射をやめたいと考えたりする患者さんの気持ちはよく理解できます。

- まだ病気を受容しきれていない1型糖尿病患者さんにおいて，糖質制限食の指導により低血糖発作を生じると，糖尿病が治ったと早合点して自己判断でインスリン注射をやめてしまう場合もあるようです。

- こうした患者さんでは当然のこととして，インスリン欠乏に伴いケトアシドーシスが生じます。ケトアシドーシスは先進国の医療レベルにおいても数％のレベルで致死性になるという危険な合併症であり，何としても避けなければなりません。ですから私たちは，ショック期・悲嘆期の1型糖尿病患者さんへの糖質制限は指導しないことにしていました。

- しかし，病気を受容している1型糖尿病患者さんで，応用カーボカウント[*2]が十分にできる場合，糖質制限食を付加的に指導すると血糖管理が改善する（少ないインスリン注射量で同じ平均血糖値を達成し，高血糖時間も低血糖時間も短くすることができた）ことがコペンハーゲン大学のグループから報告されています (Diabetes Obes Metab 19：1479-84, 2017)。

    [*2] 解説：摂取する糖質量に応じて，食前のボーラスインスリン量を調節する治療法

- さらに，Sensor-Augmented Pumpでインスリン療法を実施している1型糖尿病患者さんの連続皮下ブドウ糖濃度測定 (continuous glucose monitoring：CGM) の記録から，糖質摂取の少ない日のほうがTime-in-Range (TIR) の時間が長くなり，Time-above-Range (TAR) が減り，Time-below-Range (TBR) は増えない（p値0.06で減少傾向はあります）ことも報告されました (Diabetes Care 43：3102-5, 2020)。つまり，1型糖尿病患者さんが糖質制限をすると，低血糖を増やすことなく（あるいは減少傾向のもと），高血糖を減らし，至適血糖管理の範囲にある時間を長くできるようになることが示されたのです。

- こうしたことから私たちは，2017年以降，患者さんの病気やインスリン注射に対する理解・態度を確認しながらではありますが，1型糖尿病患者さんでも積極的に緩やかな糖質制限食を指導することにしています。

(3)妊婦

- 妊娠は胎児に十分なエネルギーを届けられるよう，母体にインスリン抵抗性をもたらし，摂取したエネルギーがすぐに母体に吸収されることがないようになっています。そのため，妊娠中にだけ耐糖能異常が生じてしまうことがあります。これが「妊娠糖尿病」であり，元来糖尿病を持っていた「糖尿病合併妊娠」や妊娠中に診断された「妊娠中の明らかな糖尿病」とともに治療の必要があります。

- 妊娠第3三半期に高ケトン血症だった母体から生まれた児の，2歳時におけるIQが低いとの報告がなされてから(N Engl J Med 325：911-6, 1991)，妊娠中のケトン体産生は避けるべきとされています。

- 一方，妊婦はケトン体産生を起こしやすいことが知られています。緩やかな糖質制限であっても，ケトン体産生が生じる可能性が否定できません。これが，妊婦では糖質制限を避けておいたほうが安全と考えた最大の理由です。

- しかし，妊娠中の高血糖に対する食事療法として，米国内分泌学会が挙げたのは以下の4条件です(J Clin Endocrinol Metab 98：4227-49, 2013)。①母体と胎児がともに健全に体重を増加させ，②食後も含めて血糖値を正常化させ，③ケトン体は生じさせない，④糖質を制限する食事。

- つまり，1食〇gという規定はせずに，食後血糖値を見ながらそれを是正できる最大の糖質量で食事をするように指導しているわけです。

- その結果，2013年以降，私たちは食後の血糖自己測定値を見ながら，血糖異常のある妊婦さんには，ロカボ，あるいはそれよりもさらに緩やかな糖質制限を指導しています。

(4)小児

- 実は，小児だけは今でも原則的に糖質制限は不適応であると考えています。正確には，糖質制限を含めてすべての何らかの食事制限は小児に対しては不適応です。それは，食事制限が子どもの心理的なストレスになるからです。

- そもそも小児に対する糖質制限食は，1〜2年までのレベルであれば，難治性てんかんに対する極端な糖質制限食（ケトン体産生食）の有効性と安全性という形で報告がなされ(Epilepsia 50：304-17, 2009)，推奨されています。

- よって，肉体に対する影響としては，糖質制限食に悪い点はないと思われます。

- 何らかの理由で，小児が自らの意思で糖質制限をしたいと求めた場合，私たちは（絶対にエネルギー制限はせず，お腹いっぱいまで食べることを条件に）糖質制限食を指導することにしています。

- 一方，絶対にあってはならないのは，患児が食事制限にトラウマを持ち，その後生涯にわたって必要な食事制限を放棄してしまうことです。たとえば，1型糖尿病の児に対し

ても，自らが求めない限りは応用カーボカウントを指導し，自由に食べてその糖質量に合わせてインスリン注射をするというスタンスのほうがよいと思います。

- ただし，どのような家庭でも，「買い食いはやめなさい」とか「駄菓子は控えなさい」といった指導はなされていると思います。ジュースなど，主食以外での糖質摂取に保護者が目を光らせるという意識はとても大切なことだと思います。

山田　悟

6章 薬剤との併用

1 2型糖尿病の病態と治療戦略

(1) 健常者の血糖値の推移

- まず健常者で血糖値がどのようにコントロールされているのか，食事の影響のない「空腹時血糖値」と，食事を摂って上昇した「食後血糖値」とにわけて考えてみましょう。

  ①空腹時血糖値：肝臓から放出されるグルコースの量により決まります。この放出量の調整はインスリンが行います。1日を通して膵臓から少量ずつ分泌され，肝臓からのグルコース放出を制御しているインスリンを基礎インスリンと呼びます。

  ②食後血糖値： 食事により血糖値は上昇しますが， 健常者ではどれだけ食べても140mg/dLを超えることはありません。これは食後に膵臓からすばやくインスリンが分泌されるためです。食後の血糖値上昇をコントロールするために分泌されるインスリンを追加インスリンと呼びます。

(2) 日本人2型糖尿病患者さんの特徴

- 日本人では糖尿病の初期には，追加インスリン分泌のタイミングが遅れるため，食後血糖値が上昇してきます。病気の経過とともに追加インスリンの分泌量が低下し，さらには基礎インスリンの分泌も低下して，空腹時血糖値も上昇することになります。

- このように膵臓から分泌されるインスリンが低下したことが原因で高血糖を呈している患者さんは「インスリン分泌不全が主病態」ということになります。

- 一方，インスリンは健常者以上に分泌されているにもかかわらず，インスリンが効きにくいために，相対的に基礎インスリンや追加インスリンの効果が不十分な患者さんがいます。これを「インスリン抵抗性が主病態」と呼びます。

- 2型糖尿病は，①インスリン抵抗性[*1]と，②インスリン分泌不全[*2]が相まって発症します。この両者の関与する割合は各個人で様々です。

  [*1] ☞解説：過食や運動不足，肥満などで蓄積した内臓脂肪から分泌されるアディポカイン（IL-6, TNF-α, アディポネクチンなど）の異常が原因でインスリンが効きにくい状態

  [*2] ☞解説：膵臓が血糖値に見合ったインスリンを分泌できない状態

- 欧米人では著明な肥満によりインスリン抵抗性が増加して糖尿病になりますが，日本人は遺伝的にインスリン分泌が低下しやすく，インスリン抵抗性がわずかに増加しただけ

で，それに見合ったインスリンを分泌できず，相対的にインスリン分泌が不足して糖尿病になります。

- 一般的に2型糖尿病の日本人は，欧米人と比較して痩せ型が多くなっています（2型糖尿病患者さんの平均BMI：欧米30以上，日本23～24）。
- 一方，日本においても欧米型生活習慣が普及し，食生活の変化と運動不足により肥満・内臓脂肪蓄積が生じてメタボリックシンドロームとなり，インスリン抵抗性が高度に増加したことが主な要因となって糖尿病を発症する人もいます。

(3) 治療の基本

- 糖尿病治療の目的は，健常者と変わらない日常生活の質（quality of life：QOL）の維持と寿命の確保であり，合併症の発症や進展を抑制することです。
- これまでの多数の研究から，HbA1cの高値が慢性合併症の発症につながることが明らかとなり，HbA1cが下がりさえすれば治療は成功しているととらえられる風潮がありました。
- 一方，ACCORD（N Engl J Med 358：2545-59, 2008），ADVANCE（N Engl J Med 358：2560-72, 2008）などHbA1cの目標を6.0～6.5％と正常値近くに設定した試験では，強化療法群が通常療法群を上回る大血管障害発症抑制効果を示せなかったばかりか，ACCORD試験ではむしろ強化療法群で死亡率が高くなっていました。これは，強化治療による血糖値の急激な是正や不適切な血糖降下が，重篤な低血糖や肥満を生み，細小血管症の増悪，突然死などを引き起こしたものと予想されます。
- このため，日本糖尿病学会やADA／EASD*3ガイドラインでは合併症予防のための治療目標値をHbA1c（NGSP値）7％とし，低血糖を起こさない範囲で可能な限り低いHbA1cをめざす治療に変化しています。

　　　*3☞解説：米国糖尿病学会（American Diabetes Association：ADA），欧州糖尿病学会（European Association for the Study of Diabetes：EASD）

- 特に認知機能やADLが低下している高齢者に低血糖が危惧される薬剤を使用する場合には，目標HbA1cを8.0もしくは8.5％未満とし，7.0もしくは7.5％未満まで下げすぎないように勧められています。
- HbA1cは過去1～2カ月間の平均血糖値を反映する指標であり，1日の血糖変動の影響を受けません。1日のうちで，血糖値の上下動がほとんどない人と，低血糖と高血糖を繰り返している人とで，平均の血糖値が同じであればHbA1cも同じになります。
- HbA1cの低下を目標に治療すると，1日平均血糖値を下げたいばかりに低血糖を頻発させる可能性があり，かえって死亡率を増加させる治療になりかねません。1日の血糖値の推移を意識した，よりきめの細かい治療が求められています。

表1 2型糖尿病の治療薬に求められる要素

①HbA1cの低下＝平均血糖値の低下
②日内変動の低下＝食後高血糖の改善⇒血管合併症の低下
③低血糖を起こさない
④体重増加をきたさない
⑤忍容性が高い（服薬回数が少ない）
⑥安全性の確立（副作用が少ない）
⑦合併症予防のエビデンスがある
⑧安価である

■ 理想的な治療法は安全に健常者の血糖値の推移に近づけることであり，2型糖尿病の治療薬に求められる条件として，**表1** に示す要素が挙げられます。

（4）薬剤の選択

■ 経口血糖下降薬は，インスリン分泌促進系とインスリン分泌非促進系の2つに大別されます。前者には血糖非依存性（スルホニル尿素薬，速効型インスリン分泌促進薬）と血糖依存性（インクレチン関連薬）があります。後者にはインスリン抵抗改善系（チアゾリジン薬，ビグアナイド薬）と糖吸収・排泄調節系［αグルコシダーゼ阻害薬（αGⅠ），SGLT2阻害薬］があります。

■ 日本のガイドライン（日本糖尿病学会，編著：糖尿病治療ガイド2020-2021. 文光堂，2020）では，2型糖尿病の病態をインスリン分泌能低下，インスリン抵抗性増大，食後高血糖～空腹時高血糖という観点で分類し，主病態に合わせて上記の薬剤を選択します。

■ 実際には各患者さんは複数の病態を持ち，単純に分類できないため，薬剤選択にあたってはあいまいな点が多いのが実情です。

① インスリン分泌不全 v.s. インスリン抵抗性

• 個々の患者さんでどちらがメインであるかを考えます。患者さんの体型から予測するとともに，**表2** を指標とし，主病態に合わせてインスリン抵抗性改善系薬とインスリン分泌促進系薬を選択します。

• 欧米ではADAやEASDの2型糖尿病治療のアルゴリズムがあり，最初はメトホルミンから開始するよう推奨されています（**図1**）。海外ではインスリン抵抗性が主な病態であるため，90％以上の患者さんに適した選択となり，日本でもインスリン抵抗性が主である場合には，このガイドラインが参考になります。

• しかし，日本人ではインスリン分泌不全が重要なため，インスリン分泌促進薬から開始すべき症例が多く，現時点ではアルゴリズムは存在しません。

• ただし，日本人に対してメトホルミンを第一選択薬として使用しても間違いではありません。MORE study（糖尿病 49：325-31, 2006）での検討で，メトホルミンは日本人2型糖尿病患者さんにおいても肥満・非肥満を問わず有用であり，増量によりさらに

実践編

図1 ── 2型糖尿病患者さんに対する血糖降下療法のアルゴリズム（ADA）

※GLP-1受容体作動薬とDPP-4阻害薬は併用しない
※なお、注射薬を開始する際、GLP-1受容体作動薬とインスリンで血糖降下作用は同等であるのに対し、低血糖が少なく減量効果が大きいことでGLP-1受容体作動薬のほうが優れていることから、まずGLP-1受容体作動薬から開始し、コントロールが不十分な場合には基礎インスリン→追加インスリンの順に加えるよう推奨している
↓：HbA1cが目標に達しない場合

54

表2 インスリン分泌能とインスリン抵抗性の指標

		正常値	指標数値
インスリン分泌能	空腹時血中Cペプチド値	1〜3ng/mL	≦0.5ng/mLでインスリン依存状態
	24時間尿中Cペプチド排泄量	40〜100μg/日	≦20μg/日でインスリン依存状態
	HOMA-β=〔空腹時インスリン値（μU/mL）×360〕/〔FPG（mg/dL）-63〕	40〜60%	≦30%で分泌低下
	Cペプチドインデックス	Cペプチド/FPG ≧1.2	0.8以下ではインスリン注射 1.2以上では経口薬でよい
インスリン抵抗性	早朝空腹時インスリン値	2〜10μU/mL	≧15μU/mLで抵抗性あり
	HOMA-IR=空腹時インスリン値（μU/mL）×FPG（mg/dL）/405	≦1.6	≧2.5で抵抗性あり FPGが140mg/dL以下であれば良い指標

FPG：空腹時血糖値

血糖コントロールが改善することが示されています。

②食後高血糖 v.s. 空腹時高血糖

- 一般的に，HbA1cが7.3%未満の場合には，食後血糖値だけが上昇し，空腹時血糖値は比較的正常範囲内に保たれていると言われています。そして食後血糖値だけでなく空腹時血糖値も上昇するようになるとHbA1cは7.3%を超えます（Diabetes Care 26：881-5, 2003）。

- したがって，HbA1cがそれほど高くない患者さんでは食後血糖値の抑制をめざし，HbA1cが高い患者さんでは空腹時血糖値を含めて1日を通した血糖コントロールの改善をめざします。

a) HbA1c＜7.0%の軽症例

- 食後の血糖値を低下させる薬剤の選択が望まれます。

- コンプライアンスが許せばαGI，グリニド系薬の投与を考えます。肥満が強い場合は，低血糖のリスクが少なく体重減少も期待できるメトホルミンやSGLT2阻害薬も考慮されます。

- DPP-4阻害薬はエビデンスの点で劣りますが，血糖値が高いときにだけ効果を発揮し，低血糖やその他の副作用が少なく使いやすいため，よく使用されます。

- 糖尿病患者さんの食後2時間血糖値の治療目標値は180mg/dL未満です。

b) HbA1c≧7.0%の症例

- まずは基礎インスリンの作用を増強し，24時間にわたる血糖の低下をめざします。空腹時血糖値の治療目標値は130mg/dL未満です。空腹時血糖値が十分に低下し，HbA1cが低下してきたら食後血糖値をターゲットとします。

③合併症の有無

- ここ数年，SGLT2阻害薬やGLP-1受容体作動薬の大規模研究で，3 point MACE (major adverse cardiovascular event；非致死性心筋梗塞，非致死性脳卒中，心血管死) を減少させる報告が相次いでいます．
- これを受けて，ADA/EASDでは，動脈硬化性疾患や慢性腎臓病の患者さんには，心血管死や総死亡を減少させるためSGLT2阻害薬やGLP-1受容体作動薬を選択するよう勧めています（図1）．
- また，上記疾患がない患者さんでは，a) 低血糖を抑えたい場合，b) 体重を減少させたい場合，c) 治療費を抑えたい場合，にわけて，それぞれの推奨薬を提示しています．

④各薬剤の評価

- 前述した表1に示す要素について，各薬剤の現時点での評価は表3のようになると考えられます．最終的には患者さんの病態・合併症の状況に，各薬剤の評価を加味して薬剤を選択します．
- 糖尿病の重軽症にかかわらず，どの段階でも治療の中心は食事・運動療法であることを強調しておきます．また，経口血糖降下薬を複数使用しても改善しない場合には，再度，患者さんの病態（インスリン分泌能や膵臓疾患の有無など）を評価し，インスリン注射やGLP-1注射への変更をためらうべきではありません．

表3 → 各糖尿病治療薬の評価

	SU	グリニド	DPP-4	GLP-1	チアゾリジン	ビグアナイド	αGI	SGLT2	インスリン
HbA1c低下作用	きわめて高い	低い	高い	高い	高い	高い	低い	高い	きわめて高い
食後高血糖の低下作用（血糖値の日内変動の低下）	弱い	強い	強い	強い	普通	普通	強い	普通	強い
低血糖リスク（単独使用）	高い	可能性あり	低い	低い	低い	低い	低い	低い	高い
体重増加	増加	微増？	不変	減少	増加	不変/減少	不変	減少	増加
忍容性	高い	低い	高い	やや低い	高い	普通	低い	高い	低い
安全性（副作用）	低血糖	稀に低血糖	大きな問題なし（稀に皮疹）	嘔気	浮腫/心不全/骨折	消化器症状/乳酸アシドーシス	腹満/放屁	性器感染症/脱水	低血糖
合併症予防のエビデンス	確立	なし	なし	確立	確立	確立	確立	確立	確立
価格（後発品も含む）	低い	中	高い	高い	低い	低い	中	高い	高い

色文字（太字）は優れる，黒字（太字）は劣る

2 糖質制限食

(1) 短期的効果

- 糖質制限食の短期的効果は，食後高血糖の抑制です。食後血糖値を上昇させる糖質の摂取を控えるためで，糖質制限を始めた最初の食事から期待される効果です。
- 糖質を制限していなかったときに必要だった食後の追加インスリン量が少なくてすみ，その分を基礎インスリンに回す余裕が出てきます。そのため，膵β細胞機能が十分に保たれている患者さんでは数日で，空腹時血糖値も含め24時間を通した血糖値の改善をしばしば経験します。

(2) 長期的効果

- 糖質制限食の長期的効果は，体重減少に伴うインスリン抵抗性の改善であり，これにより食後だけでなく空腹時も含めた24時間にわたる血糖値の改善が期待されます。
- 2型糖尿病患者さんが糖質制限食に変更した場合，経口血糖降下薬（特にSU薬）やインスリンを使用していなければ低血糖の心配はありません。SU薬やインスリンを使用している患者さんでは，薬の減量を考える必要があります。応用カーボカウントをしている場合は通常通りにボーラスインスリンを減らしてもらいます。

3 糖尿病治療薬の種類と糖質制限食における注意点

- エネルギー制限食と糖質制限食とで，糖尿病治療薬の選択が大きく変わることはありません。以下に各薬剤について一般的な特徴を解説し，糖質制限食と併用した際の注意点を述べます。

(1) インスリン分泌促進系（図2）

①血糖非依存性

スルホニル尿素（SU）薬

〔作用機序〕

- 膵β細胞のATP感受性K（K$_{ATP}$）チャネルはSUR（sulfonylurea receptor）1とチャネルポアを形成する*Kir6.2*から成り立ちます。SU（sulfonylurea）薬はSUR1に結合し，それにより*Kir6.2*のATP感受性が亢進してK$^+$の細胞外流出が止まり，グルコース刺激と同様の機序でインスリン分泌が生じます。作用時間が長く，1日1～2回の内服で1日中効果が持続し，基礎インスリンが増加します。
- 細小血管障害抑制（UKPDS33；Lancet 352：837-53, 1998），大血管障害抑制（UKPDS80；N Engl J Med 359：1577-89, 2008）ともにエビデンスは確立しています。

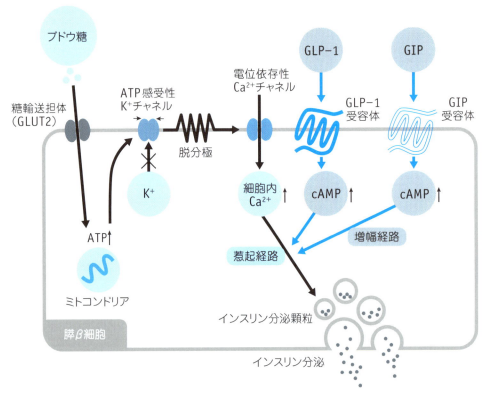

図2 膵β細胞のインスリン分泌機構

血液中のブドウ糖は膵β細胞に存在するGLUT2から細胞内に流入する。このブドウ糖はミトコンドリアのTCAサイクルで代謝され，その過程でATPが産生される。細胞内のATPの上昇により，ATP感受性K$^+$チャネルが閉鎖し，細胞内から細胞外へのK$^+$の流出が妨げられる。その結果，細胞内K$^+$濃度が上昇して細胞膜が脱分極し，電位依存性Ca^{2+}チャネルが開き，細胞内にCa^{2+}が流入する。これが引き金となりインスリンが細胞外に開口放出される（惹起経路）。GLP-1とGIPはインクレチンと呼ばれ，各々，受容体を介して細胞内cAMP濃度を上昇させ，惹起経路のインスリン分泌作用を増強する（増幅経路）

GLUT2：glucose transporter 2（糖輸送担体2）
GLP-1：glucagon like peptide-1（グルカゴン様ペプチド1）
GIP：glucose-dependent insulinotropic peptide（グルコース依存性インスリン分泌刺激ポリペプチド）

〔適応〕

- インスリン分泌不全が主病態で空腹時血糖値が上昇している患者さんに対して，血糖降下作用が大きくなります。高度肥満などのインスリン抵抗性が強い症例ではさらなる体重増加をきたす可能性があり，良い適応とは言えません。

〔使用法〕

- ADA/EASDのガイドラインでは，低血糖のリスクが高いグリベンクラミド（オイグルコン®，ダオニール®）やクロルプロパミド（アベマイド®）の使用を避け，それ以外のSU薬〔グリメピリド（アマリール®），グリクラジド（グリミクロン®）〕を使用するように推奨しています。

- グリベンクラミドは心筋細胞のK$_{ATP}$チャネルに結合し，心筋梗塞時のischemic preconditioning（虚血耐性現象）を消失させることからも使用を控えるべきです。心

筋にもK_{ATP}チャネルが存在し，軽度の虚血に曝されるとチャネルが開いて心筋が保護されます。この状態でさらに強い虚血（心筋梗塞）に曝されても，心筋はある程度耐えられるため，傷害範囲は狭くてすみます（ischemic preconditioning）。グリベンクラミドはチャネルを閉じてしまうため，軽度の虚血の際に心筋が保護されず，心筋梗塞を起こしたときの傷害範囲が広くなります。

■ 低血糖を起こしやすいため，初回投与量は少量から開始し，コントロールが不十分な場合に漸増します。グリメピリドの保険適用は0.5～6.0mg/日ですが，実際の治療では高用量まで増量しても効果は頭打ちになります。

■ 実際，グリメピリドの用量依存性は1～3mgまでで，4mg以上では認められなかったとの報告があります。使用当初は有効だったSU薬の効果が次第に不十分となり（二次無効），SU薬を増量して漫然と使用し続けると，膵β細胞の残存機能がさらに低下する恐れがあります。したがって，SU薬は低用量にとどめて，効果不十分な症例では他剤の追加やインスリンの導入を検討します。

〔副作用〕

■ SU薬は血糖値の高低にかかわらずK_{ATP}チャネルを閉じてしまうため，低血糖が遷延化しやすくなります。また，インスリン分泌量が増加するため，過食する患者さんでは体重が増加しやすくなります。

〔糖質制限との併用〕

■ 糖質制限食を開始することでインスリン必要量が減少し，低血糖を頻発する恐れがあるため，SU薬の減量を考慮します。私たちの経験では，グリメピリド投与中の30名に糖質制限食を導入した際に，導入前と導入36カ月での平均グリメピリド投与量が1.4mg/日から1.1mg/日に減っていました（Nutrients 10：528, 2018）。

速効型インスリン分泌促進薬（グリニド系薬）

〔作用機序〕

■ SUR1に結合し，インスリン分泌刺激作用を発現します。服薬後吸収が速いため血中の薬物濃度上昇が速やかで，血中消失時間も速く，その作用はSU薬に比べて迅速・短時間です。

■ 食直前に内服することにより，食事ごとの追加インスリン分泌の総量を増加させずに，分泌のピーク時間を早めて食後高血糖を抑制します。

〔適応〕

■ 日本人に特徴的なインスリン初期分泌低下に伴う食後高血糖が認められる軽症患者さんに使用します。

〔使用法〕

- 毎食直前内服。現在，ナテグリニド（スターシス®，ファスティック®）とミチグリニド（グルファスト®），レパグリニド（シュアポスト®）が使用可能です。ただし，重篤な腎障害のある患者さんにおいて，ナテグリニドは禁忌，ミチグリニド，レパグリニドは慎重投与となっているので注意しましょう。

〔副作用〕

- 低血糖と体重増加に注意が必要です。耐糖能異常（impaired glucose tolerance：IGT）患者さんを対象にナテグリニドを投与して食後高血糖を改善しても，糖尿病発症や心血管イベントの抑制を証明できず（NAVIGATOR；N Engl J Med 362：1463-76, 2010），毎食直前内服でアドヒアランスが低いこともあり，使用は限定的です。

〔糖質制限との併用〕

- 糖質制限食の導入により食後高血糖が抑えられるため，グリニド系薬併用による食後低血糖の発症に注意する必要があります。私たちはグリニド薬使用者への糖質制限導入経験が少なく，減薬の程度についての情報は現時点ではありません。

②血糖依存性

インクレチン関連薬

〔作用機序〕

- 食事の摂取に伴い消化管から分泌され，膵β細胞に作用してインスリン分泌を促すホルモンをインクレチンと呼び，GLP-1とGIPの2種類が知られています。
- GLP-1やGIPはDPP-4（dipeptidyl peptidase-4）により数分で分解されて不活化されます。インクレチンの活性を維持して治療へ結びつけるのがDPP-4阻害薬です。また，DPP-4により不活化されないように修飾されたのがGLP-1受容体作動薬です。
- インクレチンは膵β細胞に存在するインクレチン受容体を介して細胞内のcAMP濃度を上昇させ，これによりブドウ糖代謝によるインスリン分泌機構（惹起経路）が増強されます（増幅経路）（図2）。すなわち，血糖値が低く，惹起経路が働いていないときにはインクレチンの増幅作用は反映されず，血糖値が上昇して惹起経路が刺激されたときにのみインスリン分泌促進効果が得られます。
- インスリン分泌促進作用は血糖値依存性であるため，単独投与による低血糖発現のリスクはきわめて低く（1％以下），体重増加もきたしません。
- インスリン分泌能の低い日本人にとって，低血糖を起こしにくいインスリン分泌促進薬は理想的です。空腹時血糖値を下げすぎることなく，食後高血糖を是正できます。DPP-4阻害薬は内服回数も少ないため，アドヒアランスも高くなっています。
- 糖尿病患者さん特有の奇異性グルカゴン分泌も抑制します。GLP-1受容体作動薬では，

食欲や胃運動を抑制することで体重が減少します。

■ 現在までのところ，他剤との併用により低血糖が発生するほかに目立った副作用はありません。このように使用しやすいDPP-4阻害薬ですが，心血管疾患を減少させるエビデンスは得られていません (サキサグリプチン, SAVOR-TIMI 53；N Engl J Med 369：1317-26, 2013. アログリプチン, EXAMINE；N Engl J Med 369：1327-35, 2013. シタグリプチン, TECOS；N Engl J Med 373：232-42, 2015. リナグリプチン, CARMELINA；JAMA 321：69-79, 2019)。

■ 一方，一部のGLP-1受容体作動薬は心血管疾患の抑制が証明されています (リラグルチド, LEADER；N Engl J Med 375：311-22, 2016. デュラグルチド, REWIND；Lancet 394：121-30, 2019. セマグルチド, SUSTAIN-6；N Engl J Med 375：1834-44, 2016. 経口薬PIONEER6；N Engl J Med 381：841-51, 2019)。

■ ADA/EASDのガイドラインでは，動脈硬化性疾患の患者さんにはメトホルミンの次にGLP-1受容体作動薬 (またはSGLT2阻害薬) を使用するよう推奨されています。

■ セマグルチドの経口薬が登場し，注射を嫌がる患者さんにも使いやすくなりそうです。

〔適応〕

■ インスリン分泌低下，インスリン抵抗性のいずれの2型糖尿病患者さんにも適応となります。

〔使用法〕

DPP-4阻害薬

■ 内服薬です。

■ 特徴は 表4 の通りです。

■ 発売当初は各DPP-4阻害薬で，併用できる経口血糖降下薬やインスリンが異なり，注意が必要でしたが，現在はすべてのDPP-4阻害薬で，どの経口血糖降下薬，インスリン製剤とも併用可能になりました。

表4 ▶ DPP-4阻害薬の特徴

一般名	商品名	常用量	内服回数	排泄経路	腎障害	肝障害
シタグリプチン	ジャヌビア グラクティブ	50～100mg／日	1回／日	腎	減量	常用量で可
ビルダグリプチン	エクア	100mg／日	1～2回／日	腎	減量	禁忌
リナグリプチン	トラゼンタ	5mg／日	1回／日	胆汁	常用量で可	常用量で可
アログリプチン	ネシーナ	25mg／日	1回／日	腎	減量	常用量で可
テネリグリプチン	テネリア	20～40mg／日	1回／日	腎・胆汁	常用量で可	慎重投与
アナグリプチン	スイニー	200～400mg／日	1～2回／日	腎	減量	常用量で可
サキサグリプチン	オングリザ	5mg／日	1回／日	腎・胆汁	減量	常用量で可
トレラグリプチン	ザファテック	100mg／週	1回／週	腎	減量	常用量で可
オマリグリプチン	マリゼブ	25mg／週	1回／週	腎	減量	常用量で可

- 内服回数は1日1回，1日2回，週1回の製剤があります。また，排泄経路の違いから，腎機能障害，肝機能障害のある患者さんで用量の調整が必要なものと，常用量のまま使用できるものがあります。

GLP-1受容体作動薬

- これまでは注射薬のみでしたが，経口セマグルチドが新たに承認されました。経口薬の登場で今後，使用頻度は増えていくと期待されます。
- 注射薬であっても，週1回製剤は患者さんの受け入れが比較的良好です。DPP-4阻害薬と比較して血糖降下作用が強く，減量効果が高いことから，特に肥満者への使用頻度は増加しています。
- 特徴は表5の通りです。
- 翌朝まで作用が持続するかどうかで，短時間作用型と長時間作用型に分類されます。
- 短時間作用型のエキセナチド，リキシセナチドは胃排出遅延作用が持続し，食後高血糖の改善に有効ですが，空腹時血糖値の改善効果は大きくありません。一方，長時間作用型は空腹時血糖値の改善効果は高いものの，使用の継続とともに胃排出遅延作用が消失（tachyphylaxis，脱感作）するため，食後高血糖の是正効果が減弱します。
- リキシセナチド，リラグルチド，デュラグルチド，セマグルチドは併用薬の制限はあり

表5 → GLP-1受容体作動薬の特徴

一般名	商品名	タイプ	用法（皮下注）・用量	併用薬の制限
エキセナチド	バイエッタ	短時間作用型	1回5μgを1日2回朝夕食前 1回10μg1日2回に増量可	SUと併用，SU＋BGと併用，SU＋TZDと併用
リキシセナチド	リキスミア	短時間作用型	1日1回朝食前 1回10μgから開始し，15→20μgに増量	併用薬の制限なし
リラグルチド	ビクトーザ	長時間作用型	1日1回朝または夕 0.3mgから開始→0.6mg→0.9mgに増量（最高1.8mgまで増量可）	併用薬の制限なし
エキセナチド	ビデュリオン	長時間作用型	週1回2mg	SU／BG／TZDと併用，SU＋BGと併用，SU＋TZDと併用，BG＋TZDと併用
デュラグルチド	トルリシティ	長時間作用型	週1回0.75mg	併用薬の制限なし
セマグルチド	オゼンピック	長時間作用型	週1回0.25mgから開始 →0.5mg（最高1.0mgまで増量可）	併用薬の制限なし
	リベルサス	長時間作用型	1日1回3mgから開始 →7mg（最高14mgまで増量可）	併用薬の制限なし

※リベルサスのみ経口，その他はすべて皮下注
SU：スルホニルウレア薬
BG：ビグアナイド薬
TZD：チアゾリジン薬

ません。

〔副作用〕

■ DPP-4はリンパ球の細胞表面に存在するCD26としても知られ，免疫系への影響が懸念されましたが，現在までのところ感染症の増加は認められていません。

■ GLP-1受容体作動薬の投与初期に消化器症状（嘔気，下痢，便秘など）が出現することがあり，一部の製剤では副作用を避けるため低用量から開始し，漸増します。重い消化器症状が持続する場合には，減量・中止を検討します。米国において，GLP-1受容体作動薬のエキセナチドと急性膵炎の関連を懸念する報告がありましたが，これまでの検討では，DPP-4阻害薬について急性膵炎との因果関係を示唆するエビデンスはありません。

■ 単剤投与での低血糖は稀ですが，他の経口血糖降下薬との併用による低血糖が報告されています。

■ 市販後，SU薬とシタグリプチンの併用による重症低血糖が多数報告されました。重篤な低血糖をきたす症例は高齢者，腎機能障害，SU薬高用量内服，SU薬ベースの多剤併用例などであり，これらの症例で特に注意するとともに，併用時には1日量をグリメピリド2mg，グリクラジド40mg，グリベンクラミド1.25mg以下に減量することが推奨され，その後，重篤な低血糖の発症数は著明に減少しています。

〔糖質制限との併用〕

■ 糖質制限食にDPP-4阻害薬/GLP-1受容体作動薬を併用することで，特に食後高血糖が効果的に抑えられます。GLP-1受容体作動薬は食欲を抑える作用が強く，糖質制限食と併用するとより効果的に減量できます。

■ 緩やかな糖質制限との併用だけでは低血糖の心配はありません。薬剤を減量する必要もありません。

(2)インスリン分泌非促進系

①インスリン抵抗性改善系

チアゾリジン (TZD) 薬

〔作用機序〕

■ 核内受容体のペルオキシソーム増殖活性化受容体γ（peroxisome proliferator-activated receptor γ：PPARγ）に結合して脂肪細胞の分化や種々の遺伝子の発現を調節します。

■ 肥大化した脂肪細胞からはTNF（tumor necrosis factor）-α，レジスチン，遊離脂肪酸（free fatty acid：FFA），MCP（monocyte chemoattractant protein）-1などの悪玉アディポカインが過剰に分泌されます。一方，インスリン感受性ホルモンである

アディポネクチンの発現・分泌は低下し、インスリン抵抗性を惹起します。
- TZD薬は前駆脂肪細胞の分化を促進し、大型化した肥大脂肪細胞のアポトーシスを誘導して悪玉アディポカインを抑制し、善玉アディポカインを増加させインスリン抵抗性を改善します。また、肝臓・骨格筋への糖の取り込みを促進し、肝臓からの糖新生を抑制することでインスリンの感受性を高めます。
- 脂質代謝改善作用（中性脂肪低下，HDL-C増加），抗動脈硬化作用（PROactive；Atherosclerosis 202：272-81, 2009），非アルコール性脂肪性肝疾患（nonalcoholic fatty liver disease：NAFLD）の改善，IGTから2型糖尿病への進展抑制（ACT NOW；N Engl J Med 364：1104-15, 2011）も報告されています。糖尿病ではないもののインスリン抵抗性の強い脳梗塞・一過性脳虚血発作（TIA）患者さんに投与することで心血管イベントの発症が抑制されました（IRIS；N Engl J Med 374：1321-31, 2016）。
- SU薬より効果は緩やかですが、単独使用であれば低血糖の心配がなく膵β細胞の疲弊予防効果があり、インスリン導入までの期間を延長します。

〔適応〕
- 肥満（BMI 25以上），特に女性，罹病期間が短い，HbA1cが7〜8％，高インスリン血症のある患者さんが良い適応です。
- PROactive試験において、大血管障害の既往を有する2型糖尿病患者さんに対して大血管イベントを抑制することが示されました。
- メタボリックシンドローム型の糖尿病は心血管イベントのハイリスクグループであり、特に有用です。

〔使用法〕
- ピオグリタゾン（アクトス®）15〜30mgを1日1回投与。HbA1cの改善は用量依存的であり、同用量では女性患者さんの改善度が大きくなります。一方、浮腫の副作用も女性に多く、用量依存的であるため、女性では1日7.5〜15mgから投与を開始し、適宜増量します。

〔副作用〕
- 腎尿細管のPPARγに作用してNaの再吸収を増加させ、水やNaの貯留が起こり浮腫が7.9％に発現します。うっ血性心不全をきたす例も0.3％存在し、心不全患者さんには禁忌です。少なくともBNP≧100pg/mLの患者さんには使用を控えています。
- 浮腫に加え、皮下脂肪へエネルギーを蓄積するため体重増加をきたしやすく、食事・運動療法の遵守が必須です。
- TZD薬が骨の脆弱性を高めることが海外で報告されており、閉経後の女性では特に注意が必要です。

- 膀胱癌発症との関連が報告されているため，膀胱癌のハイリスク患者さんへの使用は慎重に判断されるべきです。使用中の患者さんには，定期的な尿検査を行います。

〔糖質制限との併用〕

- TZD薬だけであれば低血糖はまず起きません。糖質制限食の導入により体重減少に伴うインスリン抵抗性の改善が期待されますので，両者の併用は良い組み合わせであると言えます。

ビグアナイド薬

- 1950年代に開発された歴史の古い経口血糖降下薬です。70年代に同系統薬のフェンホルミンにより重篤な乳酸アシドーシスが報告され，使用が中止された時期がありましたが，大規模臨床試験 (UKPDS34；Lancet 352：854-65, 1998) でメトホルミンの有用性と安全性が実証され，確立された薬剤となっています。

- 安価で優れた血糖降下作用を持ち，体重増加や低血糖をきたしにくいことから，現在，欧米での2型糖尿病治療における第一選択薬として推奨されています。用量依存的に効果がみられます。

- メトホルミンは癌による死亡率を低下させるとの疫学研究も報告されています (PLoS One 7：e33411, 2012)。

〔作用機序〕

- インスリン分泌を介さず，肝臓・骨格筋・脂肪組織および小腸に作用してインスリン抵抗性を改善することにより血糖を低下させます。最も重要な作用は肝臓における糖新生の抑制で，肝臓からの糖放出率を低下させ空腹時血糖値を低下させます。

- 骨格筋・脂肪組織におけるインスリン抵抗性の改善により，細胞内への糖取り込みを促進するとともに，骨格筋では取り込まれたブドウ糖の分解亢進，グリコーゲンの合成促進など細胞内でのブドウ糖利用を促します。これらは細胞内のエネルギー代謝に重要な酵素であるAMPキナーゼ (AMP-activated protein kinase) の活性化を介しています。そのほかにも，腸内細菌に与える影響や，GLP-1濃度の上昇効果も報告されています。

- 小腸からのブドウ糖吸収抑制作用も認めており，食事中のブドウ糖吸収を遅延させます。

〔適応〕

- 肥満の2型糖尿病患者さんで第一選択薬とされることが多いですが，実際には非肥満患者さんにも有効です (MORE study；糖尿病 49：325-31, 2006)。インスリンやSU薬をはじめ，他剤との併用でも相加効果が期待できます。

- TZD薬と並んでインスリン抵抗性改善薬として取り上げられますが，メトホルミンは特に，インスリン分泌能が低く空腹時血糖値の高い非肥満例においてTZD薬より優れています。

〔使用法〕

- ブホルミン（ジベトス®）とメトホルミン（メトグルコ®，グリコラン®）の2種類が使用可能です。用量依存的に効果を発揮しますが，消化器症状の副作用も用量依存的なため，実際には500mg／日から開始し，効果と副作用を観察しながら週単位で漸増します。
- メトグルコ®は高用量まで使用できます。承認前試験では1日1,500mgでHbA1cが平均1.2％，2,250mgで1.8％低下したと報告されています。

〔副作用〕

- 最も重篤なのは乳酸アシドーシスです。メトホルミンでの発症頻度はきわめて稀ですが，致死率が50％以上と予後不良であり，念頭に置いて使用する必要があります。薬剤濃度の上昇しやすい高齢者（特に75歳以上）には慎重に投与し，腎機能障害患者（eGFR＜30mL／分／1.73m^{2}で禁忌。30〜60mL／分／1.73m^{2}で慎重投与：最大投与量は30〜45mL／分／1.73m^{2}で750mg，45〜60mL／分／1.73m^{2}で1,500mg），心血管・肺・肝機能障害患者，アルコール多飲者，脱水，シックデイでは禁忌であり，手術前後やヨード造影剤の使用前後2日間は投薬を中止します。
- 頻度の高い（10〜20％）副作用として嘔気・嘔吐，便秘，腹部膨満感，下痢などの消化器症状がありますが，少量から開始することにより回避できることが多いです。

〔糖質制限との併用〕

- ビグアナイド薬だけであれば低血糖はまず起きません。糖質制限食の導入により体重減少に伴うインスリン抵抗性の改善が期待されますので，両者の併用は良い組み合わせであると言えます。

② 糖吸収・排泄調節系

αグルコシダーゼ阻害薬（α-glucosidase inhibitor：αGI）

〔作用機序〕

- 腸管の二糖類加水分解酵素（マルターゼ，スクラーゼ）の糖分解作用を抑制するため，上部小腸からの糖の吸収が低下し，下部小腸に至ってから吸収されるようになり，糖類の吸収が小腸全体に及ぶため，食後の血糖上昇が穏やかになります。
- 日本人の2型糖尿病患者さんではインスリンの初期分泌反応が低下しているために食後高血糖をきたしやすく，糖の吸収を抑制するαGIは有用です。
- 単独投与でのHbA1cや空腹時血糖の改善度は他剤と比較して小さいものの，食後高血糖を抑制することで，IGTから2型糖尿病への進展抑制（STOP-NIDDM；Stroke 35：1073-8, 2004），心血管イベント発症の抑制（MeRIA7；Eur Heart J 25：10-6, 2004）などのエビデンスがあり，他剤との併用も有効です。

〔適応〕

■ 空腹時血糖値の上昇は軽度で，食後高血糖をきたす軽症糖尿病が良い適応ですが，空腹時血糖値が上昇していても他剤との併用により効果が期待できます。

■ ボグリボースは，下記事項を有するIGT患者さんにおいても2型糖尿病への移行を抑制するため保険適用となっています。

・食事・運動療法を3～6カ月間行っても改善なし

加えて，以下4点のいずれかを有する場合

・高血圧症

・脂質異常症(高トリグリセリド血症，低HDLコレステロール血症など)

・肥満(BMI 25以上)

・2親等以内の糖尿病家族歴

〔使用法〕

■ アカルボース(グルコバイ®)，ボグリボース(ベイスン®)，ミグリトール(セイブル®)が使用できます。作用機序から毎食直前に内服する必要があります。

■ 毎食直前の内服であるため，服薬アドヒアランスが低いのが難点です。

〔副作用〕

■ 単剤での低血糖は稀ですが，他剤との併用により低血糖が出現し，その際，砂糖ではブドウ糖として吸収されるまでに時間がかかるため，ブドウ糖を常備する必要があります。

■ 本来，小腸上部で吸収される糖質が未消化のまま大腸にまで到達すると，大腸の腸内細菌叢による分解・発酵が起こるため，放屁，便通の変化などの消化器症状が出現しやすくなります。

■ 開腹手術や腸閉塞の既往がある場合には，腸閉塞様の症状をきたすこともあるため慎重に投与します。さらに重篤な肝機能障害が出現することがあり，月1回の肝機能検査で経過を追う必要があります。

〔糖質制限との併用〕

■ 糖質制限食にαGIを併用することで効果的に食後高血糖が抑えられます。両者の併用だけでは低血糖の心配はありません。αGIは糖質の吸収を減らすものではなく，食後の急激な糖質吸収を抑えるもので，最終的には摂取した糖質のほとんどが吸収されます。糖質吸収量の減少から発生するケトーシスの懸念は不要です。

SGLT2阻害薬

〔作用機序〕

■ 腎臓の糸球体で濾過された原尿には血漿と同じ濃度のブドウ糖が含まれ，通常1日180gのブドウ糖が血液から濾過されています。しかし，その後，近位尿細管でほぼす

べてのブドウ糖が再吸収され，最終的に尿にブドウ糖は排出されません。この再吸収の90％を担っているのが，腎臓の近位尿細管上皮細胞に発現しているSGLT2 (sodium glucose co-transporter 2，ナトリウム-グルコース共輸送体2) であり，尿中のNaとブドウ糖を再吸収しています。

- 本薬剤はこの再吸収を阻害して尿中にブドウ糖を50～100g／日排泄させることで，高血糖を改善します。1日約400kcalのロスとなり，内臓脂肪が消費されて体重が減少します。血圧や尿酸値が低下し，脂質も改善します。
- 単独使用では低血糖のリスクはほとんどありません。
- EMPA-REG OUTCOME試験 (N Engl J Med 373：2117-28, 2015. N Engl J Med 375：323-34, 2016) では，平均3.1年という短期間，エンパグリフロジンを投与することにより心血管イベントと糖尿病性腎症の発症・進展予防効果が示されました。カナグリフロジンを投与したCANVAS，CANVAS-R試験 (N Engl J Med 377：644-57, 2017)，CREDENCE試験 (N Engl J Med 380：2295-306, 2019)，ダパグリフロジンを用いたDECLARE-TIMI58 (N Engl J Med 380：347-57, 2019)，DAPA-HF試験 (N Engl J Med 381：1995-2008, 2019) でも同様の効果が証明されています。
- これほど劇的に糖尿病合併症を抑制できた経口血糖降下薬はこれまでになかったことから，ADA／EASDのガイドラインでは動脈硬化性疾患や心不全，慢性腎臓病の患者さんにはメトホルミンの次に使用すべきとされ，SGLT2阻害薬の使用は飛躍的に増えています。
- DAPA-HF試験ではダパグリフロジンが糖尿病の有無にかかわらず，左室駆出率が低下した慢性心不全 (HFrEF) 患者の心血管死や心不全悪化を26％有意に減少させました。ダパグリフロジンは，糖尿病ではない慢性心不全患者の治療薬としても期待されています。

〔適応〕

- インスリンとは無関係に高血糖を是正します。糖毒性をきたすほどの高血糖であってもその解除が期待され，間接的にインスリン分泌の回復に寄与する可能性があります。また，体重減少によりインスリン抵抗性の改善効果も期待されます。肥満型の2型糖尿病患者さんには良い適応です。
- 一方，インスリン分泌低下症例では血糖値の改善にもかかわらず，インスリン分泌は低値にとどまり，過度な体重減少やケトン体増加につながる可能性があり，注意が必要です。
- 内臓脂肪の少ない痩せ型の患者さんでは，脂肪の代わりに筋肉が減少し，サルコペニアが悪化する可能性があります。

〔使用法〕

■ 1日1回内服です。

■ 2021年2月現在，下記の6種類が市販されています。

• イプラグリフロジン（スーグラ®）

• ダパグリフロジン（フォシーガ®）

• ルセオグリフロジン（ルセフィ®）

• トホグリフロジン（アプルウェイ®，デベルザ®）

• カナグリフロジン（カナグル®）

• エンパグリフロジン（ジャディアンス®）

■ カナグリフロジンは，SGLT2に加えてSGLT1の阻害作用も有しています。SGLT1は小腸の糖吸収に関わることから，糖の吸収を遅らせて食後高血糖を改善する効果も期待されます。

■ その他の薬剤はSGLT2への選択性が高いため，他のSGLTを抑制してしまうことで出現するかもしれない弊害を引き起こす可能性が低く，安全性が高いとされています。

■ トホグリフロジンは半減期が短いため，朝に内服することで夜間の頻尿が少ないとされています。

〔副作用〕

■ 尿糖の増加に伴い，頻尿，性器感染症，外陰部瘙痒などのリスクが増加します。

■ 浸透圧利尿により軽度の脱水を呈します。内服を開始する際は，飲水量を1日500mL程度増やすよう指導します。シックデイで十分に飲水できないときや，口渇の訴えに乏しい寝たきりの高齢者などには使用を控えます。

■ 内服後に皮膚症状が出現した場合には，服薬を中止します。

■ 本剤内服後に食欲が亢進する人がいます。また本剤の体重減少効果に期待を持ちすぎて，食事・運動療法がおろそかになって体重が増加する人もいます。生活習慣が乱れないよう注意しましょう。

〔糖質制限との併用〕

■ 近位尿細管にはSGLT1も存在し，一定量のブドウ糖が再吸収されるため過度なブドウ糖の欠乏は起こらないと想定されます。しかし，SGLT2阻害薬使用例ではケトン体の増加が報告され，血中遊離脂肪酸の濃度とは独立しているようです。

■ 極端な糖質制限を実施している症例では，SGLT2阻害薬の投与は当面は控えておきましょう。

（3）インスリン治療

■ インスリンは体内で血糖値を下げる唯一のホルモンであり，膵臓のランゲルハンス島に

あるβ細胞で産生されます。2型糖尿病患者さんでは、糖尿病と診断された時点で、β細胞機能は既に健常者の50％にまで低下しており、その後β細胞のインスリン分泌機能は毎年2～3％ずつ低下していくと言われています。

- つまり、糖尿病は慢性進行性の疾患であり、診断当初は食事・運動療法だけで血糖コントロールが良好であっても、インスリン分泌の低下とともに内服薬が必要になり、最終的にインスリン治療が必要になります。これは患者さんが努力を怠ったためではなく、糖尿病の自然経過の結果です。
- 糖質制限食によりインスリンの必要量が減少すると膵β細胞の負担が減り、インスリン分泌機能の低下速度を遅らせる効果が期待されます。

インスリン製剤

- インスリン製剤には複数の種類があります。詳細は成書にゆずります。
- 注射後すぐに効果を発揮する一方、まもなく作用が消失してしまうインスリンが追加インスリンとして好ましく、注射後長時間効いて、効果にピークがないインスリンが基礎インスリンとして好ましいと言えます。前者が超速効型（あるいは速効型）インスリンであり、後者が持効型（あるいは中間型）インスリンです。

〔糖質制限との併用〕

- 糖質制限食は食事内の糖質が少なく、食後の血糖値上昇が少ないため、追加インスリンの必要量を減量できます。
- 一方、糖質制限を始めてすぐには基礎インスリンの必要量は大きく変わりませんが、長期的な糖質制限の効果により体重が減少し、全身のインスリン抵抗性が改善すれば、基礎インスリンの減量も可能になります。

(4) 糖質制限と薬剤との併用──まとめ

- エネルギー制限食と比較して、糖質制限食のほうが早期に血糖値が低下する印象があります。
  - 糖質制限食：開始当日から低下
  - エネルギー制限食：開始5～6日目くらいから低下
- 薬剤使用者に糖質制限食を導入するにあたっては、特に低血糖に注意します。
- ただし、すべての血糖降下薬が低血糖を引き起こすわけではありません。
- インスリン使用者と、血糖値とは無関係にインスリン分泌を刺激するSU薬とグリニド系薬の内服者に低血糖の可能性があります。
- 前記の治療を行っている場合には、エネルギー制限食でも低血糖が起こることはありますが、糖質制限食では、その効果が大きいため低血糖を頻発することがあります。低血糖経験者では再発を恐れて血糖降下薬の使用をやめてしまい、高血糖をまねくことがあ

ります。このようなことがないよう，また適切に薬剤を減量できるよう，糖質制限食を始めてしばらくは，頻繁に経過をみます。
- 糖質制限食の場合，「食後すぐだから低血糖は起こらない」という考えではなく，患者さんが「低血糖かもしれない」と訴えた場合は，必ず血糖測定を行いましょう。
- 一方，インスリン・SU薬・グリニド系薬を使用していない患者さんについては低血糖の懸念はほとんどありません。血糖値が低めでも運動療法を控える必要はありません。

1型糖尿病の病態と治療戦略

(1) 病態

- 1型糖尿病は自己免疫疾患であり，膵β細胞が患者さん自身の免疫機能によって破壊されて生じる糖尿病を言います。
- 免疫は本来，体内に入ってきた細菌やウイルスなどの病原体を徹底的に攻撃して排除し，感染から身を守ってくれるものです。
- しかし，この免疫が膵β細胞を外敵と勘違いしてしまうと，β細胞を徹底的に破壊してしまいます。こうしてインスリンをつくるβ細胞がなくなり，追加インスリンも基礎インスリンも分泌されなくなる病態が1型糖尿病です。

(2) 治療戦略

- 1型糖尿病の原因は免疫の問題であって，食事の食べ過ぎや運動不足などの生活習慣の乱れではありません。したがって，1型糖尿病患者さんがいくら生活習慣を改善しても血糖コントロールの改善にはつながりません。
- 1型糖尿病患者さんは，インスリン分泌が欠如していることを除けば，健常者と変わりません。治療は，膵臓が分泌していたようにインスリンを注射して補うことです。毎日様々な食事を摂るため，当然，インスリンの必要量も毎日異なります。食事に合わせて追加インスリン量を調節する「カーボカウント」を考慮します。
- インスリン注射からの離脱は困難であり，自己判断でインスリン治療をやめてしまうのは，命に関わるきわめて危険な行為です。
- 食事療法は2型糖尿病患者さんのための治療であり，1型糖尿病患者さんでは糖質制限もエネルギー制限も不要です。ただし，1型だからと言って，過食や運動不足の状況下でインスリン注射を行っていると，健常者と同じように肥満をきたし，インスリン抵抗性からインスリンが効きにくくなり，血糖コントロールが困難になります。そのため，常識的な範囲での食事・運動療法を心がける必要があります。
- 1型糖尿病において糖質制限を行うメリットは，糖質量が少ないため食後血糖値が上昇しにくく，追加インスリンの注射量が少なくてすむことです。

- 特に肥満傾向の1型糖尿病患者さんでは糖質制限の導入によりインスリン注射量が減少し，減量効果が期待されます。
- また，通常食でカーボカウントを行っても血糖コントロールがうまくいかない患者さんには，糖質制限食に変更することで摂取する糖質量が減少し，必要インスリン量とインスリン注射量との誤差が小さくなる可能性が高く，試してみる価値があると考えます。
- 1型糖尿病患者さんにも，SGLT2阻害薬のイプラグリフロジン，ダパグリフロジンがインスリンと併用できるようになりました。体重減少やインスリン使用量の減少効果があり，特に肥満者には有効ですが，ケトアシドーシスを発症した症例も報告されています。インスリンを中止/極端に減量しない，過度な糖質制限を行わないよう指導し，ケトアシドーシスには十分留意しましょう。

(3) 1型糖尿病患者さんでの糖質制限導入

- 2型糖尿病の糖質制限食と同様の食事内容でかまいません。
- カーボカウントでインスリン量を決めている患者さんでは，エネルギー制限食と比較して糖質制限食のほうが低血糖のリスクが高いということはありません。
- ただ，カーボカウントではなく，これまでの経験で培ってきた感覚でインスリン注射量を決めてきた1型糖尿病患者さんでは，糖質制限食に変更したときにインスリンを打ち過ぎてしまう危険があります。

山田善史

7章 糖質制限指導事例

実践編

■ 緩やかな糖質制限食においては，初期に以下のような指導をします。

① 初期指導のポイント

① 糖尿病全般についての指導：いわゆる糖尿病教室・栄養（学）指導

② 三大栄養素とは何か，糖質はどのような食品に多いかについての集団栄養指導：栄養学講習

③ 主食なしで進める場合のロカボ，主食ありで進める場合のロカボについての指導（選択）：初回の個別栄養指導（**4章参照**）

■ その後は，食事記録を見ながら，患者さんの実際の食事内容に準じて指導を繰り返していきます。その際に大切なことは「100点満点を求めないこと」です。エネルギー制限においては，摂取エネルギーを制限しても，おのずと消費エネルギーが低減するため，なかなか治療効果（体重減量）を得られず，患者さんも医療者も100点満点を求めようとしがちです。

■ 糖質制限の場合でも，元来の1食糖質100g摂取を20〜40gになるように目指して，それを果たせず，60g摂取になることは当然あります。しかし，100gを60gに減らした分の治療成績（食後血糖の改善）は必ず得られるものです。100点満点中50点で不合格とするのではなく，50点なら50点分の成果が出ていることを患者さんと医療者とで共有し，ともに喜べばよいのです。

② 2回目以降の指導：食事相談

■ 2回目以降は栄養指導ではなく食事相談になります。

（1）全体を見る

■ まず，その患者さんの生活スタイルや嗜好を推察します。また，（主食の重ね食いなどを見て）ロカボを意識できているかを判断します。

（2）ほめるポイントを探す

■ 今の食生活の中で，どこかにほめられるポイントがないかを探し，その患者さんの努力あるいは意識を認めます。（継続指導の場合には，）可能な限り前回からの変化に気づいてほめます。

73

(3) 指摘ポイントを最小限に端的に述べる

- ほめ言葉をかけた上で，最小限かつ端的に改善ポイントを指摘します．その折，けなしたり，批判したりするのではなく，（可能であれば，患者さんの生活スタイルや嗜好を意識しながら）代替の食品（時に具体的な商品名なども挙げながら）や食べ方を提案するように心がけます．

◎

- 本章では，各患者さんの食事記録を通じて，2回目以降の個別栄養指導においてどのように指導しているかについて述べます．

症例 1
82頁参照

① 全体を見る

10月26日の昼食はラーメン＋カレー（カレーライス），10月30日の朝食はおにぎり＋2種のサンドイッチ＋果物と，主食や果物の重ね食いがあり，ロカボに対する意識はかなり低いと判定されます．

② ほめるポイントを探す

一方，10月30日の夕食の大根の葉，サイコロステーキ，大根おろし，ビール（飲み方が通常で，大量飲酒でなければ）は，糖質が1食40gに収まっているはずです．11月1日の夕食も低糖質になっています．

この患者さんは主食の摂り方が下手であり，主食を食べるとロカボにならないと判断できます．

③ 指導ポイントを最小限に端的に述べる

正直なところ，ほめることの難しい，やる気のない患者さんだと思いますが，それは表現せず，「全体的にかなり糖質オーバーです！！」「おかずはとても良い内容です」「麺は半分，ご飯はお茶碗半分．おかずをさらにたくさん食べてよいので，空腹を感じない程度まで食べてみて下さい」と，ほめ言葉をかけた上で主食についての指導をしました．

症例 2
83頁参照

① 全体を見る

夕食でかなりしっかりとおかずを食べていますが，主食を抜いています．ロカボへの意識はしっかりとあるようです．

② ほめるポイントを探す

10月13日の山かけそばは，まさに高糖質食ですが，昼食でそれしか選べないという環境はありえます．あえてここは目をつぶります．10月15日の昼のデザートにふすまのロールケーキを選んだり，10月17日の昼のカレーはライスを小にしたりと，ロ

カボを意識しようとしていることは明らかです。

③ 指導ポイントを最小限に端的に述べる

糖質が1食40gに収まっているか不安のある食事（山かけそば，カレーライス＋コーンスープ）があっても，まずはほめます。その上で，ほめている理由が「糖質が40gに収まるように意識をしている」からであることを強調し，次回からも，糖質重量を意識したくなるように誘導します。

症例3

84頁参照

① 全体を見る

主食がふすまパン（昼食）やご飯50g（夕食）となっていて，ロカボを意識されていることは明らかです。

② ほめるポイントを探す

おかずにも肉・魚・大豆製品を少なくとも2種類以上取り入れようとしている姿勢が明らかです。

③ 指導ポイントを最小限に端的に述べる

この患者さんの場合，朝食を食べてほしいと思いますが，朝食は抜きたくて抜いているのではなく，抜かざるをえないという方のほうが多いのが実情です。そこには触れず，ほめます。抜本的な生活習慣の変更は，それまでの社会生活をおびやかします。できる限り，小手先でできる工夫でロカボを目指します。

症例4およ び症例5

85～86頁参照

① 全体を見る

主食にふすまパンを存分に取り入れていて，ロカボを意識されていることは明らかです。

② ほめるポイントを探す

肉，魚，大豆製品，野菜を取り入れていて，エネルギーとしてもしっかり摂取しています。

③ 指導ポイントを最小限に端的に述べる

べたぼめします。人はほめられると，そのほめられた理由から自分が外れないようにする傾向があります。患者さんの努力は最大限に認めるようにします。一方，朝食が抜けていることについては触れません。

症例6

87頁参照

① 全体を見る

主食については，ご飯を食べるときには量を意識し，時には低糖質のふすまパンを取り入れていて，何も言うことはありません。また，おかずについても，肉，魚，

野菜を多様に取り入れておられ，何も言うことはありません。

② ほめるポイントを探す

ロカボとして完璧です。ほめるしかありません。

③ 指導ポイントを最小限に端的に述べる

8月19日など一部の食事記録は抜けていますが，あえて指摘しません。食事記録がところどころ抜けていても，1日トータルのエネルギー量ではなく，1食ごとの糖質量で考えるロカボでは，指導は容易です。

症例7
88頁参照

① 全体を見る

ふすまパンを取り入れるなどロカボを意識していることは間違いありません。一方で，釜揚げうどん単品，肉そば単品，もりそば単品といった麺類単品の食事も併存しています。

② ほめるポイントを探す

まずは，食事にふすまパンを取り入れていることをほめます。

③ 指導ポイントを最小限に端的に述べる

その上で，主食について半量にすることを提案しています。また，主食を抜いている「8月29日の夜みたいに…」と患者さんの食事記録から具体例を挙げて，スイーツを食べながらもロカボを意識できるように誘導します。

症例8
89頁参照

① 全体を見る

ふすまパンを取り入れるなど，ロカボを意識できている食事もありますが，一方で，山菜そば単品，ご飯（150g）と明らかに糖質オーバーであることがわかりそうな食事もあります。

② ほめるポイントを探す

まずは朝食の内容をほめます。また，男性でご飯150gは小盛です。小盛にしていることをほめます。

③ 指導ポイントを最小限に端的に述べる

ほめた上で，ご飯の量についての提案をしています。

症例9
90頁参照

① 全体を見る

昼食にふすまパンを取り入れるなど，ロカボを意識できている食事もあります。一方で，きつねそばや天ぷらそばといった主食の単品食いもみられます。

② ほめるポイントを探す

まずは，ふすまパンを取り入れたり，鍋物はしめのおじややうどんにしていないことをほめます。

③ 指導ポイントを最小限に端的に述べる

その上で，主食を軽くして，おかずを増やすようにピンポイントで指導しています。

症例10

91頁参照

① 全体を見る

「ハムサンド（24.9g）」という記載の仕方から，この患者さんは糖質量を意識しながら食品を選んでいることがわかります。

② ほめるポイントを探す

ほめる部分だらけです。

③ 指導ポイントを最小限に端的に述べる

11月7日は朝から飲酒していますが，何も言いません。ほめるだけにとどめます。

症例11

92頁参照

① 全体を見る

野菜ジュースもわざわざ糖質オフのものを選ぶなど，ロカボに対する意識がかなり高い患者さんだとわかります。

② ほめるポイントを探す

主食を食べる折にはふすまパンを取り入れ，おかずも肉，魚，大豆製品と多様性があります。

③ 指導ポイントを最小限に端的に述べる

べたぼめです。昼食が抜けているのは，抜こうとしているのではなく，忙しくて抜かざるをえないのかもしれないので，何も言いません。

症例12

93頁参照

① 全体を見る

緑豆でんぷんでできている春雨については，春雨スープ（炭水化物15g）と記載されていて，栄養成分表示をしっかりとご覧になっている患者さんだとわかります。

② ほめるポイントを探す

シュークリームもクリームを半分にするなど，涙ぐましい努力があることがわかります。

③ 指導ポイントを最小限に端的に述べる

ですから，べたぼめです。6月13日の夕食や6月18日の昼食を摂っていないのは，食べるだけの時間的余裕がないと解釈します。そこで無理に食べるようにというよ

実践編

うな指導はしません。ひたすらほめます。

症例 13
94頁参照

① 全体を見る
主食にふすまパンを取り入れたり，白米を半膳にしたりなど，努力があることは明らかです。しかし，ざるそば単品，カレーうどん単品といった麺類単品の食事があることも事実です。

② ほめるポイントを探す
まずは，主食に対する配慮をほめます。

③ 指導ポイントを最小限に端的に述べる
その上で，「麺半分で小鉢を加える」といった提案をします。それも「できる範囲で頑張って」と，プレッシャーをかけないように配慮しています。

症例 14
95頁参照

① 全体を見る
ラーメン単品，カツ丼単品，おにぎり単品と，単品食いがかなり多いことがわかります。独身男性であることが予測されます。

② ほめるポイントを探す
残念ながら見当たりません。

③ 指導ポイントを最小限に端的に述べる
主食を半分，おかずを増やすという，ロカボの原則を伝えます。

症例 15
96頁参照

① 全体を見る
夕食は主食を抜いておかずをしっかり食べ，朝食・昼食には，ふすまパンや麺を半分にしたラーメンを取り入れるなど，ロカボを意識していることが見て取れます。

② ほめるポイントを探す
ビールを飲む日は主食を控えるなど，ほめるところだらけです。

③ 指導ポイントを最小限に端的に述べる
野菜としてカウントしがちですが実は糖質が多い「かぼちゃサラダ」や「ポテトサラダ」についての注意を喚起します。

症例 16
97頁参照

① 全体を見る
夕食は主食を抜いておかずのみを食べるようにしています。しかし，特に昼食は麺類や寿司といったかなり高糖質な食事を選んでいます。

② ほめるポイントを探す

夕食については糖質をうまく管理していることをほめます。

③ 指導ポイントを最小限に端的に述べる

昼食においても糖質量を意識するよう，寿司では貫数を調整するよう提案します。

症例 17

98頁参照

① 全体を見る

夕食はお酒とおつまみのみというパターンになっています。主食（しめの麺やお茶漬け）を外すように意識していることが理解できます。一方，朝食，昼食でも主食を食べていない日がかなりあり，スイーツの記載はありません。ロカボを意識していることは明らかです。

② ほめるポイントを探す

お酒の種類も含めて糖質を意識して食べていることをほめます。

③ 指導ポイントを最小限に端的に述べる

6月28日昼食のラーメンとライスはさすがに糖質が非常に高いので，主食の重ね食いだけは避けるように提案します。

症例 18

99頁参照

① 全体を見る

白米を1/3膳にしたり，お酒を蒸留酒中心にするなど，かなりロカボに気を遣っていることがわかります。

② ほめるポイントを探す

ほめるポイントには事欠きません。

③ 指導ポイントを最小限に端的に述べる

ただし，おにぎりとサンドイッチの主食の重ね食いは高糖質，低脂質，低タンパク質という最悪の組み合わせであることだけ注意喚起します。

症例 19

100頁参照

① 全体を見る

朝食を摂る習慣がほとんどないことがわかります。また，夕食を居酒屋で摂ることが多く，おそらくは独身であろうことが推測されます。居酒屋では糖質の少ないメニューを意識し，昼食でも「米なし」にするなど，ロカボに対して気を遣っておられることは明らかです。

② ほめるポイントを探す

基本的にはよく頑張っていることを認めます。

③指導ポイントを最小限に端的に述べる

エネルギー摂取が少なすぎる可能性が感じられるので，1日3食にする，あるいは2食なら主食以外をしっかりたくさん食べるように促します。

症例20
101頁参照

①全体を見る

ふすまパンやこんにゃく麺を積極的に取り入れていて，糖質に対してかなり意識しておられるように思われます。一方，ふすまパンとブラックコーヒー，ふすまパンとカロリー0コーラなど，食物繊維は十分ですが，脂質とタンパク質の摂取が不足していそうです。

②ほめるポイントを探す

基本的にはロカボになっていることを認めます。

③指導ポイントを最小限に端的に述べる

しかし，圧倒的にエネルギー摂取が少ないので，おかずをしっかりたくさん食べるように促します。

症例21
102頁参照

①全体を見る

菓子パン2個など高糖質食品の重ね食いが目立ち，そもそもほとんどおかずを食べていません。エネルギーも不足している印象があります。家族の存在がみえてきませんし，社会的にかなり孤立した生活をしている様子もうかがえます。

②ほめるポイントを探す

残念ながらほめるポイントを見出せませんでした。

③指導ポイントを最小限に端的に述べる

おそらく，この患者さんに対する真の栄養指導とは人生相談そのものになることでしょう。まずは，そこまで踏み込まず，食べてほしい食品を具体的に列挙しました。

症例22
103頁参照

①全体を見る

ふすまパンを取り入れるなどの工夫がある一方で，ご飯1膳（通常糖質量は55〜80g程度）を普通に食べるなど，ロカボへの取り組みは不十分な状況にあります。

②ほめるポイントを探す

朝食にふすまパンを取り入れていることをほめます。

③指導ポイントを最小限に端的に述べる

夕食のご飯を半膳にすることを提案してみました。

症例23

104頁参照

① 全体を見る

主食単品食いが多く，良い状況ではありません。

② ほめるポイントを探す

この患者さんも症例21の患者さん同様，残念ながらほめるポイントを見出せませんでした。

③ 指導ポイントを最小限に端的に述べる

症例21の患者さんにも共通していますが，この方に対する真の栄養指導は人生相談そのものになることでしょう。まずは，そこまで踏み込まず，具体的に食べてほしい食品を列挙しました。

症例24

105頁参照

① 全体を見る

ふすまパン，低糖質カップ麺などを利用して頑張っているときがある一方，6月19日の夕食はアルコールのみ，6月16日の朝食はカロリー0ゼリーのみなど，問題も多々感じられる食事内容です。

② ほめるポイントを探す

糖質量としてはロカボに合致している食事が多いことをほめます。

③ 指導ポイントを最小限に端的に述べる

エネルギー摂取をしっかりとしてほしい旨を述べ，具体的に食べてほしい食品を列挙しました。

■ 症例1～24はいろいろなタイプの患者さんの食事記録と，その個別栄養指導を見てきましたが，症例25の食事記録は，とある1例の患者さんの経時的な指導例10回分です。207mg/dLあった血糖値が，148mg/dLまで低下しました。

山田　悟

症例1

提出日　平成 ○年 11月 ×日　　　　　　　　　　　氏名 Y. K.

※週初めに血糖値を測定し右欄に記入したら，
　担当者に提出して下さい。

週初め出勤時の血糖値	
測定した日時	／（　）　時　　分頃
測定前最後に飲食した時間	時　　　分頃
最後に飲食したもの	

「ロカボ」の基準：1食当たり 20～40g，
1日当たり 70～130g をめどに糖質を摂ります。
食品に糖質の記載がない場合は，
炭水化物の量で換算します。

食事記録表

日付	勤務時間	食事時間・内容	食事時間・内容	食事時間・内容
10/26（月）	9時～18時	5時35分頃 ツナサラダ，食パン，バター，無糖コーヒー	13時15分頃 ラーメン，カレー（半分）	21時30分頃 野菜（小松菜，レタス，トマト），ご飯，魚
10/27（火）	9時～18時	時　　分頃	12時30分頃 唐揚げ定食，キャベツ，レタス，人参，味噌汁	21時50分頃 ハンバーグ，野菜，ご飯，味噌汁
10/28（水）	9時～18時	5時50分頃 ハンバーグの残り，チーズ，食パン，レタス，無糖コーヒー	12時10分頃 つけ麺	21時30分頃 マグロの寿司，納豆巻き寿司，野菜
10/29（木）	9時～18時	5時45分頃 ハンバーガー，無糖コーヒー，りんご，おにぎり	12時10分頃 イカ天うどん，緑茶	20時20分頃 イカリングピザ，野菜（シーザーサラダ），糖質控えめコーラ
10/30（金）	9時～18時	5時40分頃 ツナのおにぎり，卵・ツナのサンドイッチ，りんご，コーヒー	12時15分頃 コンビニのパスタ，サンドイッチ，ふすまパン	22時00分頃 大根の葉，サイコロステーキ，大根おろし，ビール
10/31（土）	時～　時	10時30分頃 食パン，卵焼き，チーズ，コーヒー	時　　分頃	20時50分頃 野菜炒め，焼きそば，50%糖質オフビール
11/1（日）	時～　時	9時20分頃 サラダ（きゅうり，トマト，レタス），バター付き食パン，コーヒー	14時00分頃 トマトソースのパスタ，アーモンド入りチーズ，緑茶	19時00分頃 豚肉の煮物，ほうれん草，ゴーヤチャンプルー，ウーロンハイ

フィードバックコメント　全体的にかなり糖質オーバーです！！　今の血糖値がわかりませんが，もし食前100以下，食後140以下でなければ1日1食でもよいのでロカボを始めて下さい。また，もし200近い数値だったら真剣に取り組みましょう！！　おかずはとても良い内容です。うどん・パスタ・そばの麺は半分，ご飯はお茶碗半分，お寿司なら4貫，のり巻きなら1本，パンは食パン6～8枚切1枚まで，もしくはふすまパンにして，おかずをさらにたくさん食べてよいので，空腹を感じない程度まで食べてみて下さい。

症例2

提出日　平成 ○年 10月 ×日　　　　　　　　　　　　　　　　氏名 H. K.

※週初めに血糖値を測定し右欄に記入したら，
　担当者に提出して下さい。

「ロカボ」の基準：1食当たり20〜40g，
1日当たり70〜130gをめどに糖質を摂ります。
食品に糖質の記載がない場合は，
炭水化物の量で換算します。

週初め出勤時の血糖値	118
測定した日時	10/15（水）8時00分頃
測定前最後に飲食した時間	21時00分頃
最後に飲食したもの	白湯鶏塩鍋

食事記録表

日付	勤務時間	食事時間・内容	食事時間・内容	食事時間・内容
10/12（月）	8時〜18時	時　分頃	11時40分頃 チーズとハムのロールパン2個，ウーロン茶	19時30分頃 しめサバ，豆乳ごま鍋（白菜，もやし，水菜，ねぎ，えのき，豆腐，豚バラ肉，鶏肉），ビール2本
10/13（火）	時〜　時	8時00分頃 クロワッサン1個，コーヒー，りんごジュース	13時40分頃 山かけそば	18時30分頃　★外泊 オードブル（生ハム，マグロ燻製，イカ，ムール貝），牛ヒレ，サーモンのムニエル，しめじ，エリンギ，ビール500mL×1，ワイン2杯（赤）
10/14（水）	時〜　時	8時00分頃 スクランブルエッグ，ウインナー，サラダ，バターロール1個，クロワッサン1個，コーヒー	時　分頃	21時00分頃 白湯鶏塩鍋（白菜，えのき，しめじ，豆腐，鶏肉，豚バラ肉），ロールケーキ1個，発泡酒500mL×1本，チューハイ500mL×2本
10/15（木）	7時〜17時	時　分頃	時　分頃 ウインナーロール，ふすまロールケーキ，ウーロン茶	時　分頃 カツ煮，サラダ，ブリの照焼，砂肝，ナンコツ塩焼，発泡酒500mL×2本，チューハイ500mL×1本
10/16（金）	8時〜19時	7時00分頃 ゆで卵2個，ウーロン茶	時　分頃	18時30分頃　★外泊 刺身盛合わせ，ブリと帆立のソテー，カニと舞茸の煮浸し，かき揚げ，若鶏のコンフィ，味噌汁，ビール500mL×2本
10/17（土）	時〜　時	時　分頃	11時45分頃 ハンバーグカレー（ライス小），サラダ，コーンスープ	時　分頃 クリームシチュー，野菜炒め，若鶏のチーズはさみフライ，カブとハムのマリネ，サワラの塩焼き，発泡酒500mL×2本，チューハイ500mL×1本
10/18（日）	8時〜17時	7時20分頃 ふすまチョコロール，ウーロン茶	時　分頃	20時00分頃 鶏肉のソテー，豚バラ椎茸包み焼き，おからの炒め物，サラダ，かぶの漬物，発泡酒500mL×2本，赤ワイン1杯

フィードバックコメント　とても良い内容ですね！ 夕食の工夫が特に素晴らしいです！ 主食を控えて，上手にビールまで飲まれながら1食40gの糖質量にされていたり，外食でも40gにちゃんと収まるようにされていて本当にすごいです！ この調子で頑張って下さい！

症例3

提出日　平成 ○年 11月 ×日　　　　　　　　　　　　氏名 Y. O.

※週初めに血糖値を測定し右欄に記入したら，担当者に提出して下さい。

週初め出勤時の血糖値	122
測定した日時	11/9（月）7時00分頃
測定前最後に飲食した時間	20時15分頃
最後に飲食したもの	アジフライ

「ロカボ」の基準：1食当たり20～40g，1日当たり70～130gをめどに糖質を摂ります。食品に糖質の記載がない場合は，炭水化物の量で換算します。

食事記録表

日付	勤務時間	食事時間・内容	食事時間・内容	食事時間・内容
11/2（月）	5時～16時	時　分頃	12時00分頃 ふすまパン，鶏ムネ肉，鶏ムネ肉サラダ	20時00分頃 豆腐，ビーフシチュー，ご飯（50g）
11/3（火）	5時～16時	時　分頃	12時00分頃 ふすまパン，鶏ムネ肉，わかめサラダ	20時00分頃 （サバ味噌煮）ご飯（50g），豆腐，納豆
11/4（水）	5時～　時	時　分頃	12時00分頃 鶏ムネ肉，ふすまパン2個	時　分頃
11/5（木）	5時15分～16時	時　分頃	12時00分頃 わかめサラダ，ふすまパン2個，鶏ムネ肉	20時00分頃 豚肉白菜鍋，ご飯（50g），納豆
11/6（金）	時～　時	時　分頃	時　分頃	時　分頃
11/7（土）	時～　時	時　分頃	時　分頃	時　分頃
11/8（日）	5時30分～16時	時　分頃	12時00分頃 鶏ムネ肉，シーチキンサラダ	20時00分頃 唐揚げ，餃子，アジフライ，ご飯（100g）

フィードバックコメント　良い内容です。血糖値も理想値までもう少しですね（正常理想値は食前100以下，食後140以下）。主食を控えるのは慣れるまでかなり大変だったと思いますが，おかずをしっかり食べてよいというメリットもある食事法です。この調子で頑張って続けて理想値まで血糖値を下げ，完全な健康な体を取り戻しましょう！

症例 4

提出日　平成 ○年 9 月 ×日　　　　　　　　　　　　　　　氏名 G. N.

※週初めに血糖値を測定し右欄に記入したら，
　担当者に提出して下さい。

「ロカボ」の基準：1 食当たり 20〜40g，
1 日当たり 70〜130g をめどに糖質を摂ります。
食品に糖質の記載がない場合は，
炭水化物の量で換算します。

週初め出勤時の血糖値	153
測定した日時	9/8（火）7 時 18 分頃
測定前最後に飲食した時間	6 時 00 分頃
最後に飲食したもの	ふすまチョコロール1個，ごぼうパン1個，炒り卵，きゅうり，コーヒー（ブラック），グァバ茶，梨1/5

食事記録表

日付	勤務時間	食事時間・内容	食事時間・内容	食事時間・内容
／ （月）	時〜　時	時　分頃	時　分頃	時　分頃
9/8 （火）	時〜　時	時　分頃 ふすまチョコロール1個，ごぼうパン1個，炒り卵，きゅうり，コーヒー（ブラック），グァバ茶，梨1/5	12時00分頃 ふすまパン1個，味噌マグロ，炒り卵，サラダ，味噌汁，梨1/5	19時00分頃 ふすまパン2個，牛皿，サラダ2鉢，豆腐1/4，グァバ茶100mL
9/9 （水）	時〜　時	4時30分頃 ふすまパン2個，ゆで卵1個，サラダ，ハム2枚，ほうれん草入りポタージュ，グァバ茶，コーヒー，梨	12時00分頃 ふすまパン1個，キャベツ，ウインナー，グァバ茶，コーヒー，（間食）まんじゅう	15時00分頃 ウイスキー100mL，豚味噌漬1枚，グリーンサラダ，切干大根煮，つまみ（イカすだれ焼き）少々，味噌汁（たまねぎ，わかめ），グァバ茶
9/10 （木）	時〜　時	6時20分頃 ふすまパン2個，サラダ，ハム，炒り卵，グァバ茶，コーヒー	12時00分頃 ふすまパン1個，味噌汁，しそ昆布，炒り卵，弁当：白米70g，味噌マグロ，サラダ（ミニトマト入）	19時00分頃 ふすまパン1個，うなぎ，サラダ，グァバ茶
9/11 （金）	時〜　時	4時00分頃 ふすまパン2個，目玉焼き，キャベツ，ほうれん草のポタージュ	12時30分頃 ふすまパン2個，サラダ，コーヒー牛乳	18時00分頃 チンジャオロース，味噌汁（じゃがいも，わかめ），サラダ（レタス・キャベツ・ほうれん草・カニ風味），タコ刺身，味噌豚，ケーキ（小）
9/12 （土）	時〜　時	7時30分頃 ふすまパン3個，味噌汁，卵ウインナー巻，レタス，キャベツ	12時30分頃 ふすまパン2個，レタス，キャベツ，チンジャオロースのせ，梨1/4，コーヒー	17時30分頃 ふすまパン，サバの味噌煮，サラダ，野菜炒め，かぼちゃの煮物，かんぴょう細巻1/2，味噌汁
9/13 （日）	時〜　時	6時15分頃 ふすまパン2個，目玉焼き，サラダ，ポタージュ，梨1/5	時　分頃 ふすまパン1個，弁当：白米70g，炒り卵，マグロ味噌漬け，サラダ（レタス，キャベツ，カニ風味）	時　分頃

フィードバックコメント　120点です！　完璧すぎです！　ふすまパンを上手に取り入れ，おかずやサイドメニューの内容，とても良いです。フルーツも，糖質が多いのですが，とても上手に取り入れています。この調子で引き続き頑張って下さい！

実践編

7章

糖質制限指導事例

症例5

提出日　平成○年9月×日　　　　　　　　　　　　　　氏名 H. H.

※週初めに血糖値を測定し右欄に記入したら，
　担当者に提出して下さい。

「ロカボ」の基準：1食当たり20〜40g，
1日当たり70〜130gをめどに糖質を摂ります。
食品に糖質の記載がない場合は，
炭水化物の量で換算します。

週初め出勤時の血糖値	198
測定した日時	8/31（月）12時00分頃
測定前最後に飲食した時間	20時30分頃
最後に飲食したもの	ポークウインナーとチーズのロール1個，チーズとハムのロール2個，ふすまパン2個，ポークソテー，生野菜，卵焼き

食事記録表

日付	勤務時間	食事時間・内容	食事時間・内容	食事時間・内容
8/31（月）	12時〜7時	時　分頃	16時30分頃 ふすまパン4個，チーズとハムのロール2個，野菜炒め，コンソメスープ	0時30分頃 ポークウインナーとチーズのロール2個，おでん（大根2個，卵2個，がんもどき1個）
9/1（火）	時〜時	時　分頃	14時00分頃 ふすまパン2個，チーズとハムのロール3個，ホイコーロー	21時00分頃 ふすまパン2個，チーズとハムのロール3個，ポークウインナーとチーズのロール1個，鮭のバター焼き（1切），豚焼肉（100g），味噌汁（アサリ）
9/2（水）	12時〜7時	時　分頃	16時20分頃 ふすまパン4個，チーズとハムのロール2個，とんかつ，生野菜，メンチカツ，味噌汁（シジミ）	1時00分頃 ポークウインナーとチーズのロール2個，ゴーヤチャンプルー
9/3（木）	時〜時	時　分頃	15時00分頃 ご飯（半膳），生卵，のり，アジの開き1枚，味噌汁（ニラ玉）	21時00分頃 ご飯（半膳），豚角煮，筑前煮，煮卵2個，ひじき煮，ほうれん草のおひたし，味噌汁（豆腐）
9/4（金）	12時〜7時	時　分頃	16時00分頃 ふすまパン4個，ポークウインナーとチーズのロール1個，ハンバーグ，目玉焼き，生野菜，コロッケ，チキンスープ	2時00分頃 ポークウインナーとチーズのロール1個，チーズとハムのロール2個，おでん（スジ2個，大根1個，卵1個，がんもどき2個）
9/5（土）	時〜時	時　分頃	15時00分頃 ふすまのチョコパン1個，ふすまパン2個，スクランブルエッグ，生野菜，ウインナー	21時30分頃 ご飯（半膳），チキンの味噌焼き，銀ダラの西京焼き，生野菜，味噌汁（アサリ）
9/6（日）	時〜時	10時00分頃 チーズとハムのロール2個，ふすまパン2個，卵焼き，ウインナー	時　分頃	19時30分頃 ふすまパン4個，ポークウインナーとチーズのロール1個，肉ニラ炒め，餃子，オニオンスープ

フィードバックコメント　ふすまパンを主食にしておかずたっぷり，もしくはご飯半膳でおかずたっぷり，とても良いです！　しかもおかずの内容もパーフェクト！　とても良いですね！　血糖198は高いですが，この調子で頑張れば，絶対に良い結果が出ます。頑張っていきましょう！

実践編

7章 ● 糖質制限指導事例

症例6

提出日　平成 ○年 8月 ×日　　　　　　　　　　　　氏名 K. W.

※週初めに血糖値を測定し右欄に記入したら,
　担当者に提出して下さい。

「ロカボ」の基準：1食当たり20〜40g,
1日当たり70〜130gをめどに糖質を摂ります。
食品に糖質の記載がない場合は,
炭水化物の量で換算します。

週初め出勤時の血糖値	157
測定した日時	8/17（月）9時00分頃
測定前最後に飲食した時間	7時30分頃
最後に飲食したもの	白米, 味噌汁, きんぴらごぼう, 大根おろし, ジャコ　他

食事記録表

日付	勤務時間	食事時間・内容	食事時間・内容	食事時間・内容
8/17（月）	11時〜7時	7時30分頃 白米70g, 味噌汁（豆腐・わかめ）, きんぴらごぼう, 大根おろし, ジャコ, 塩鮭	12時10分頃 白米70g, 玉こんにゃく, 鶏モモ照り焼き, 椎茸とアスパラのバター炒め, 塩鮭, きんぴらごぼう	22時00分頃 海藻ミックスサラダ, たまねぎドレッシング, ふすまパン2個, ウーロン茶, プロセスチーズ, サラダチキン
8/18（火）	時〜 時	6時20分頃 ふすまパン2個, ポークウインナーとチーズのロール, スライスチーズ, レモンスカッシュ	時　分頃	時　分頃
8/19（水）	時〜 時	時　分頃	時　分頃	時　分頃
8/20（木）	11時〜7時	7時20分頃 白米70g, 味噌汁（豆腐・ほうれん草）, 大根おろし, ジャコ, 塩鮭	11時50分頃 白米70g, 玉こんにゃく, 鶏モモ照り焼き, 椎茸とアスパラのバター炒め, 塩鮭, きんぴらごぼう	20時00分頃 蒸し焼き鶏, 炭酸水, ウーロン茶, チーズとハムのロール2個, シーチキン＆コーンサラダ, たまねぎドレッシング, サラダチキン
8/21（金）	時〜 時	3時30分頃 ふすまパン2個, ポークウインナーとチーズのロール, 炭酸水, プロセスチーズ	時　分頃	時　分頃
8/22（土）	11時〜7時	7時15分頃 白米70g, 味噌汁（豆腐・ほうれん草）, 大根おろし, ジャコ	12時00分頃 白米70g, 玉こんにゃく, 豚ロース塩麹漬, 椎茸とアスパラのバター炒め, 塩鮭, きんぴらごぼう	20時30分頃 スモークタン, 生ハム, ウーロン茶, 炭酸水, ふすまパン2個, 海藻サラダ, ふすまパン, プロセスチーズ
8/23（日）	時〜 時	3時30分頃 プロセスチーズ3個, ウインナーとチーズロール, ふすまパン2個, ウーロン茶, 炭酸水	時　分頃	時　分頃

フィードバックコメント
とても良いですね！　ふすまパンを上手に取り入れ, チーズや糖質のない飲み物を選ばれたり, 夕食も主食をふすまパンにしておかずを糖質の少ない物を選ばれていてすごいです！　お昼のおかずもとても良いです。さらに完全にするのに, ご飯をお茶碗半分にして, 足りないときはおかずをもっと増やしてお腹いっぱい食べて下さい。

87

症例7

提出日 平成 ○年 8月 ×日 氏名 S. A.

※週初めに血糖値を測定し右欄に記入したら、担当者に提出して下さい。

「ロカボ」の基準：1食当たり20～40g，
1日当たり70～130gをめどに糖質を摂ります。
食品に糖質の記載がない場合は、
炭水化物の量で換算します。

週初め出勤時の血糖値	292
測定した日時	8/24（月）6時15分頃
測定前最後に飲食した時間	5時30分頃
最後に飲食したもの	白米（1膳），納豆，味噌汁（シジミ），漬物，卵焼き（甘め），コーヒー（ブラック）

食事記録表

日付	勤務時間	食事時間・内容	食事時間・内容	食事時間・内容
8/24（月）	時～時	5時30分頃 白米（1膳），納豆，味噌汁（シジミ），漬物，卵焼き（甘め），コーヒー（ブラック）	11時30分頃 ふすまパン，コーンサラダ，コーヒー（ブラック）	17時45分頃 チーズとハムのロール，たまねぎサラダ，コーヒー（ブラック）
8/25（火）	時～時	時　分頃 食事なし	14時30分頃 枝豆，焼酎水割り3杯，生姜焼き，カツオの刺身，白米（1膳）	時　分頃
8/26（水）	時～時	5時00分頃 ふすまのパンケーキ，ポークウインナーとチーズのロール，コーヒー（ブラック）	12時40分頃 ふすまパン，チーズとハムのロール，たまねぎサラダ，コーヒー（ブラック）	20時30分頃 もりそば
8/27（木）	時～時	時　分頃 食事なし	14時30分頃 たまねぎサラダ，焼酎水割り4杯，トマト，牛肉焼き	時　分頃
8/28（金）	時～時	6時00分頃 ふすまパン，コーンクリームスープ，レタスとたまねぎのサラダ	14時00分頃 ふすまパン，ふすまのチョコパン，コーヒー（ブラック）	20時10分頃 釜揚げうどん
8/29（土）	時～時	時　分頃 食事なし	12時00分頃 肉そば	17時00分頃 マグロ刺身，サバの味噌煮，焼酎水割り4杯，シュークリーム1個
8/30（日）	時～時	8時00分頃 野菜スープ，サラダ，コーヒー（ブラック），ヨーグルトパン，ポークウインナーロール	15時30分頃 カツオ刺身，サラダ，豆腐，焼酎水割り4杯，鶏肉焼き	時　分頃

フィードバックコメント　食後血糖，292かなり高いです！！　頑張っていきましょう！！　お食事の内容，よく頑張っています。ふすまパンを上手に取り入れたり，お酒も焼酎にしたり，おかずも糖質の少ないものをしっかり食べ，ご飯を少なくしていてとても良いです。もう少し頑張って，ご飯は半膳，そば・うどんは半分の量にしてサイドメニューでお腹いっぱいにするとよいです。29日の夜みたいに，糖質の少ないおかずをしっかりと。焼酎なら，さらにシュークリーム1つくらい食べても糖質1食40gに収まります。

実践編

7章 糖質制限指導事例

症例8

提出日　平成 ○年 10月 ×日

氏名 K. N.

※週初めに血糖値を測定し右欄に記入したら，
　担当者に提出して下さい。

「ロカボ」の基準：1食当たり20〜40g，
1日当たり70〜130gをめどに糖質を摂ります。
食品に糖質の記載がない場合は，
炭水化物の量で換算します。

週初め出勤時の血糖値	109
測定した日時	10／19（月）6時15分頃
測定前最後に飲食した時間	22時40分頃
最後に飲食したもの	ロールケーキ，コーヒー

食事記録表

日付	勤務時間	食事時間・内容	食事時間・内容	食事時間・内容
10/19（月）	6時〜17時	6時40分頃 トースト（8枚切）1枚，ヨーグルト，コーヒー	11時30分頃 山菜そば（200g），番茶	20時00分頃 サンマ塩焼き，野菜サラダ，漬物，野菜味噌汁，ご飯（150g）
10/20（火）	6時〜17時	6時50分頃 梅おにぎり（150g）1個，唐揚げ2個，お茶	12時00分頃 メンチカツ弁当（ご飯小），漬物，マカロニサラダ	20時30分頃 キムチ鍋（キムチ・豆腐・豚肉・ニラ），ご飯（150g）
10/21（水）	6時〜17時	7時00分頃 ふすまパン2個（バター），アイスティー	時　分頃	21時15分頃 野菜炒め，キムチ，ご飯（150g），味噌汁（アサリ）
10/22（木）	6時〜17時	7時15分頃 ふすまのパンケーキ，アイスコーヒー	11時45分頃 カップ焼きそば（200g），コーン茶	時　分頃 （2時以降のため）
10/23（金）	6時〜17時	時　分頃 採血	11時45分頃 のり弁〔白身魚・ちくわ・昆布・ご飯（半分）〕，お茶	20時40分頃 豚しゃぶ（豚肉・ニラ・もやし・レタス），ご飯（150g），お茶
10/24（土）	6時〜15時	時　分頃	12時15分頃 ふすまパン（バター），コーヒー，唐揚げ3個	19時50分頃 天ぷらうどん（180g），野菜サラダ，お茶
10/25（日）	時〜　時	8時00分頃 トースト（8枚切）1枚，唐揚げ2個，ウインナー2本	時　分頃	18時00分頃 キーマカレー，ご飯（150g），生野菜，コーン茶

フィードバックコメント　かなり良いですね。特に朝ご飯は完璧です。バターも実は体に悪くないですし，卵も食べてもコレステロールとは関係ないので安心しておいしく食べて下さい。他も全体的にご飯や麺を控えるよう意識されていてとても良いと思います。お夕食のおかずの内容もとても良い内容ですね。完全にするには，ご飯を150gから80gにすると無敵の内容なのですが，血糖値がとても高いわけではないので，今のペースで十分すぎる内容だと思います（正常値は空腹時100以下，食後が140以下です）。

89

症例9

提出日　平成 ○年 11月 ×日　　　　　　　　　　　　　氏名 M. O.

※週初めに血糖値を測定し右欄に記入したら，
　担当者に提出して下さい。

週初め出勤時の血糖値	101
測定した日時	11/12（月）7時10分頃
測定前最後に飲食した時間	6時00分頃
最後に飲食したもの	ブラックコーヒー

「ロカボ」の基準：1食当たり20～40g，
1日当たり70～130gをめどに糖質を摂ります。
食品に糖質の記載がない場合は，
炭水化物の量で換算します。

食事記録表

日付	勤務時間	食事時間・内容	食事時間・内容	食事時間・内容
11/12（月）	8時～4時	7時30分頃 ブラックコーヒー，ハンバーガー	12時30分頃 のり弁当，サラダ，お茶	21時50分頃 きつねそば，ブラックコーヒー
11/13（火）	時～時	時　分頃 食事なし	10時50分頃 ふすまパンりんご，ブラックコーヒー，サラダ	19時30分頃 しゃぶしゃぶ，サラダ，ビール350mL
11/14（水）	8時～4時	7時00分頃 ブラックコーヒー，ハンバーガー	13時30分頃 サバ塩定食	21時50分頃 幕の内弁当，お茶
11/15（木）	時～時	時　分頃 食事なし	11時00分頃 ふすまパンりんご，ブラックコーヒー，サラダ	時　分頃 寄せ鍋，サラダ，ビール350mL
11/16（金）	8時～4時	7時00分頃 ブラックコーヒー，ハンバーガー	13時00分頃 生姜焼き定食，ブラックコーヒー	20時30分頃 天ぷらそば，ブラックコーヒー
11/17（土）	時～時	時　分頃 食事なし	11時30分頃 目玉焼き，ふすまパン，コーヒー，サラダ	19時00分頃 寿司（外食），ビール350mL×2本
11/18（日）	時～時	時　分頃 食事なし	10時30分頃 ふすまパン，目玉焼き，コーヒー，サラダ	19時00分頃 カレー鍋，日本酒（1合），ビール350mL

フィードバックコメント　ふすまパンを取り入れて，さらにサラダ，目玉焼きなどと一緒に食べられているのがとても良いです。また，お夕食では主食を控えてお鍋，とても良いです。主食を控えているので，普通のビール350mL 1本の糖質は10g，日本酒1合で9gなので，お酒の量も完璧です。ハンバーガーもポテトをつけなければ，1食40gに収まるのでOKです。もし可能ならお弁当，おそば，定食のご飯を少し控え，小鉢をプラスできたらパーフェクトです。でも，血糖値は101なのでそこまでストイックになるより，今のペースで続けていくほうが大切ですので，楽しく取り組んで下さい（正常は食前100以下，食後140以下です）。

実践編

7章 糖質制限指導事例

症例10

提出日　平成 ○年 11月 ×日　　　　　　　　　　　　　氏名 H. K.

※週初めに血糖値を測定し右欄に記入したら，
　担当者に提出して下さい。

「ロカボ」の基準：1食当たり20～40g，
1日当たり70～130gをめどに糖質を摂ります。
食品に糖質の記載がない場合は，
炭水化物の量で換算します。

週初め出勤時の血糖値	105
測定した日時	11/4（水）8時10分頃
測定前最後に飲食した時間	18時30分頃
最後に飲食したもの	サバの味噌煮など

食事記録表

日付	勤務時間	食事時間・内容	食事時間・内容	食事時間・内容
11/2（月）	8時～18時	時　分頃	13時00分頃 ハムサンド（24.9g），ウーロン茶	19時00分頃 カキフライ，ハムフライ，サラダ，カレー（ライスなし），大根味噌煮，発泡酒500mL2本，チューハイ500mL1本
11/3（火）	時～ 時	10時00分頃 フランクフルト，目玉焼き，レタス，パプリカ	時　分頃	16時30分頃 サバの味噌煮，鶏の唐揚げ，鶏団子，豚チャーシュー，サラダ，発泡酒350mL2本，チューハイ500mL2本
11/4（水）	8時～17時	7時10分頃 ゆで卵2個，お茶	12時10分頃 チーズとハムのロール2個，ふすまパンケーキ3個，ウーロン茶	20時00分頃 カキのバター焼き，ハムカツ，ひじきの煮物，ポテトサラダ，レタス，発泡酒350mL2本，チューハイ500mL1本
11/5（木）	8時～18時	時　分頃	13時00分頃 ハンバーグステーキ，サラダ，コロッケ，パン，コーヒー	時　分頃 マグロの刺身，ひじきの煮物，ポテトサラダ，野菜サンド，発泡酒500mL2本，チューハイ500mL1本
11/6（金）	7時～17時	6時30分頃 チーズとハムのロール2個，ポークウインナーロール，ウーロン茶	時　分頃 寿司（握り10貫），味噌汁，ウーロン茶	20時00分頃 枝豆，フライドチキン，白身魚フライ，サラダ，納豆，豆腐，発泡酒500mL2本，チューハイ350mL1本
11/7（土）	時～ 時	9時45分頃（外食）イカ焼き，刺身盛合せ，貝焼き盛合せ，生ビール1杯，ワイン2杯	時　分頃	19時00分頃 サーモンのマリネ，餃子，豚の味噌焼き，チキンの南蛮焼き，発泡酒500mL2本，チューハイ500mL1本
11/8（日）	8時～18時	7時00分頃 ゆで卵2個，ウーロン茶	時　分頃	20時00分頃 すき焼き（白菜・長ねぎ・しらたき・えのき・焼豆腐・牛肉・鶏肉・卵），発泡酒350mL3本，チューハイ350mL1本

フィードバックコメント　パーフェクトですね！ 外食のコントロールも素晴らしいです。また，通常のハムサンドもきちんと糖質量をチェックしておられるのもすごすぎです。ロカボなお食事というのは，パッケージ後ろなどの炭水化物の量を見て，足して40gになるように工夫できれば，食べていけないものはなく，上手に食べていたものを調整するという感覚で取り組んでもらいたかったのです。まさに，その思いの伝わったパーフェクトな内容です。しかも血糖値も良いですね。これからも続けて健康な体を維持して下さい。

91

症例11

提出日　平成　○年　6月　×日　　　　　　　　　　　　氏名　G. M.

※週初めに血糖値を測定し右欄に記入したら，
担当者に提出して下さい。

週初め出勤時の体重	92.2
週初め出勤時の血糖値	88
測定した日時	6/20（月）7時30分頃
測定前最後に飲食した時間	21時30分頃
最後に飲食したもの	焼酎

「ロカボ」の基準：1食当たり20〜40g，
1日当たり70〜130gをめどに糖質を摂ります。
食品に糖質の記載がない場合は，
炭水化物の量で換算します。

食事記録表

日付	勤務時間	食事時間・内容	食事時間・内容	食事時間・内容
6/13（月）	時〜時	6時15分頃 糖質オフ野菜ジュース，ふすまパンシナモン，ベーコンエッグ，サラダ，あおさの味噌汁	12時30分頃 ふすまごまスティック，蒸し鶏と彩り野菜サラダ，鶏唐揚げ4個，ゆで卵	20時30分頃 糖質0ビール350mL3本，焼酎ソーダ割2杯，枝豆，豆腐，茶碗蒸し，焼き肉カルビ6枚，サラダ
6/14（火）	時〜時	8時20分頃 ふすまパン，サラダ，サラダチキン，わかめスープ	12時30分頃 鶏つくねのボウルサラダ，ふすまごまスティック，唐揚げ	20時00分頃 ビール2杯，ハイボール6杯，刺身，鶏唐揚げ，焼き魚，春巻き
6/15（水）	時〜時	8時00分頃 ふすまパン，スクランブルエッグ，ベーコン，サラダ，味噌汁，納豆	12時30分頃 ふすまごまスティック，ふすまメープルケーキ，卵サラダ，スモークチキン	19時30分頃 糖質0ビール350mL3本，焼酎ソーダ割2杯，サラダ，豆腐，ソースカツ3枚
6/16（木）	時〜時	8時00分頃 ふすまシナモンスティック，サラダ，ベーコンエッグ	12時30分頃 鶏唐揚げのパスタサラダ，ふすまごまスティック	20時00分頃 糖質0ビール350mL2本，糖質0チューハイ350mL2本，豆腐サラダ，枝豆，刺身
6/17（金）	時〜時	7時40分頃 糖質オフ野菜ジュース，ふすまごまスティック，ベーコンエッグ	12時15分頃 エビフライ1個，ホタテフライ2個，白身魚フライ2個，ご飯1/4，味噌汁	21時30分頃 糖質0ビール350mL2本，サバ塩焼き，豚汁，ほうれん草のおひたし，豆腐サラダ，納豆
6/18（土）	時〜時	10時30分頃 糖質オフ野菜ジュース，ふすまごまスティック，卵サラダ，ローストビーフサラダ	時　分頃 食事なし	20時30分頃 糖質0ビール350mL2本，焼酎ソーダ割り3杯，刺身，つくね，ローストビーフ，サラダ
6/19（日）	時〜時	9時30分頃 糖質オフ野菜ジュース，サラダ，卵サラダ，キャベツとベーコンのスープ，ふすまごまスティック	時　分頃 食事なし	19時00分頃 糖質0ビール350mL3本，焼酎ソーダ割2杯，フライドチキン2個，サラダ，豆腐

フィードバックコメント	120点のパーフェクトな内容ですね！　糖質を控えつつも，上手に糖質の少ないメニューを選びつつ1食40gに収めながらビールを楽しむ日を作ったり，しっかりおかずやサイドメニューも摂っていて，本当にすごいと思います。血糖値（食前100以下，食後140以下が正常値です）も良い数値ですね！

症例12

提出日　平成 ○年 6月 ×日　　　　　　　　　　　　　　　　氏名 T. H.

※週初めに血糖値を測定し右欄に記入したら，
　担当者に提出して下さい。

「ロカボ」の基準：1食当たり20〜40g，
1日当たり70〜130gをめどに糖質を摂ります。
食品に糖質の記載がない場合は，
炭水化物の量で換算します。

週初め出勤時の体重	87
週初め出勤時の血糖値	100
測定した日時	6/20（月）8時00分頃
測定前最後に飲食した時間	20時00分頃
最後に飲食したもの	前日の夕食

食事記録表

日付	勤務時間	食事時間・内容	食事時間・内容	食事時間・内容
6/13（月）	時〜 時	8時30分頃 唐揚げ，スモークささみ，チョコのふすまパン，キャンディーチーズ（プレーン），ブラックコーヒー	12時30分頃 梅味春雨スープ（炭水化物15g），海藻サラダ（オニオンドレッシング），豆腐のそうめん風×2個，特保麦茶	時 分頃 食事なし
6/14（火）	時〜 時	7時30分頃 ビーフシチュー，サラダ	12時30分頃 イベリコ豚重（肉のみ），塩キャベツ， シュークリーム（クリームのみ半分）	21時30分頃 ハイボール5杯，鶏唐揚げ5個，スモークタン，枝豆，冷や奴，ソーセージ5本
6/15（水）	時〜 時	8時00分頃 サラダチキン，鮭ハラス焼き3切れ，ゆで卵2個	13時30分頃 焼肉定食（ご飯1/3），コーヒー，ゆで卵1個	22時00分頃 ビール（糖質0）350mL2本，切り落としチャーシュー，サラダチキン，スティック野菜サラダ
6/16（木）	時〜 時	8時00分頃 サラダチキン，ポテトチップス，味噌汁（野菜）	12時30分頃 焼きサバ定食（五穀ご飯1/3），ネバネバ豆腐サラダ	22時30分頃 ハイボール2杯， 活イカ，照り焼きチキン，シーザーサラダ，アスパラ焼き，塩辛，枝豆，卵焼き
6/17（金）	時〜 時	8時00分頃 サラダ， 納豆， 鮭塩焼き，ハムエッグ，ソーセージ	13時00分頃 ほっけ焼き定食（ご飯1/3）	22時00分頃 焼き鳥3本， ビール3本，エビ焼き，焼肉
6/18（土）	時〜 時	9時00分頃 豚汁，ハムエッグ，ほっけ焼き，きゅうりの漬物	時 分頃 食事なし	19時00分頃 サラダ，イカウニ，アスパラベーコン， 鶏肉の炒め物，糖質0ビール1本，焼酎水割り3杯
6/19（日）	時〜 時	8時30分頃 食パン1枚，カフェラテ	12時00分頃 ポーク焼肉サラダ，チキンソテー	18時00分頃 糖質0ビール2本，焼酎水割り4杯，ジンギスカン，かまぼこ，納豆キャベツ，ほっけ焼き，刺身，きゅうり

フィードバックコメント　とても良い内容ですね！ ロカボを完璧に理解されていますね！ 春雨スープは糖質が多いのをきちんと理解された上で，1食40gにならないよう上手に工夫してお食事をされるという，まさに上級ロカボですね。すごいです！

症例13

提出日　平成 ○年 10月 ×日　　　　　　　　　　　　　　　　　氏名 S. A.

※週初めに血糖値を測定し右欄に記入したら，担当者に提出して下さい。

週初め出勤時の血糖値	127
測定した日時	9／29（火）6時13分頃
測定前最後に飲食した時間	5時30分頃
最後に飲食したもの	コーヒー（ブラック）1杯

「ロカボ」の基準：1食当たり20〜40g，1日当たり70〜130gをめどに糖質を摂ります。食品に糖質の記載がない場合は，炭水化物の量で換算します。

食事記録表

日付	勤務時間	食事時間・内容	食事時間・内容	食事時間・内容
／ （月）	時〜時	時　分頃	時　分頃	時　分頃
9/29 （火）	時〜時	5時30分頃 コーヒー（ブラック）1杯	12時00分頃 ざるそば	19時20分頃 チーズとハムのロールパン，コーヒー（ブラック），サラダ
9/30 （水）	時〜時	時　分頃 食事なし	14時30分頃 サラダ，焼酎水割り3杯，枝豆，カツオ刺身	時　分頃
10/1 （木）	時〜時	5時30分頃 納豆，白米（半膳），ウインナー，味噌汁（シジミ），卵焼き	12時30分頃 お弁当，コーヒー（ブラック），白米（半膳），ウインナー，生姜焼き，卵焼き	19時40分頃 ふすまパン，たまねぎサラダ，唐揚げ2個
10/2 （金）	時〜時	時　分頃 食事なし	14時30分頃 牛肉炒め，焼酎水割り4杯，枝豆，豆腐，サラダ	時　分頃
10/3 （土）	時〜時	6時30分頃 ふすまチーズとハムのロール，コーヒー（ブラック），スープ，サラダ	12時40分頃 白米（半膳），味噌汁（シジミ），さんま焼き，サラダ	14時50分頃 焼酎水割り3杯，枝豆，カツオ刺身，たまねぎサラダ
10/4 （日）	時〜時	5時00分頃 ふすまポークウインナーとチーズのロール，コーヒー（ブラック）	12時50分頃 お弁当，コロッケ，ハンバーグ，卵焼き，白米（半膳）	20時40分頃 カレーうどん

フィードバックコメント　白米半膳におかずをしっかり食べられていて良いですね。おかずの内容もすべてとても良いです。白米の代わりにふすまパンを取り入れられているのも良いです。うどんとおそばは糖質が多いので，麺半分で小鉢を加えることができたら理想的ですが，他がほぼ完璧なので，できる範囲で頑張ってみて下さい！

実践編

7章 ● 糖質制限指導事例

症例14

提出日 平成 ○年 10月 ×日　　　　　　　　　　　　　氏名 H. I.

※週初めに血糖値を測定し右欄に記入したら，
　担当者に提出して下さい。

週初め出勤時の血糖値	236
測定した日時	10/14（水）8時30分頃
測定前最後に飲食した時間	6時30分頃
最後に飲食したもの	トースト，サラダ

「ロカボ」の基準：1食当たり20〜40g，
1日当たり70〜130gをめどに糖質を摂ります。
食品に糖質の記載がない場合は，
炭水化物の量で換算します。

食事記録表

日付	勤務時間	食事時間・内容	食事時間・内容	食事時間・内容
10/12（月）	時〜　時	8時30分頃 トースト，サラダ	13時00分頃 ラーメン	19時00分頃 カツ丼
10/13（火）	時〜　時	8時00分頃 サンドイッチ	15時00分頃 餃子，ご飯	22時00分頃 おにぎり2個
10/14（水）	時〜　時	6時30分頃 トースト，サラダ	11時30分頃 ミックスサンド，ポークウインナーとチーズのロール	19時00分頃 ワンタン，チャーハン
10/15（木）	時〜　時	6時30分頃 トースト，サラダ	11時30分頃 お好み焼き，ポークウインナーとチーズのロール	19時00分頃 中華丼
10/16（金）	時〜　時	6時30分頃 トースト，サラダ	12時00分頃 ポークウインナーとチーズのロール, ふすまチョコロール	19時30分頃 おかめそば
10/17（土）	時〜　時	6時30分頃 トースト，サラダ	12時00分頃 唐揚げ，おにぎり	20時00分頃 ラーメン
10/18（日）	時〜　時	6時30分頃 トースト，サラダ	11時30分頃 牛丼	20時30分頃 たらこパスタ

フィードバックコメント　血糖値がとてもとても高いです！　本気で頑張って下さい！　正直今の食事は1番悪いパターンの内容です。主食の重ね食べや丼やそばの単品食べ，すべてやめましょう。まずは，麺・そば・ご飯・パンを半分にするか，ふすまパンに代えて下さい。その代わり，サラダ・卵焼き・唐揚げ・お刺身・冷や奴などのおかずを増やして，お腹いっぱい食べるという食事に変えてみて下さい！！

95

症例15

提出日　平成 ○年 9 月 ×日　　　　　　　　　　　　　　　氏名 R. K.

※週初めに血糖値を測定し右欄に記入したら，
　担当者に提出して下さい。

週初め出勤時の血糖値	82
測定した日時	9/21（月）8時45分頃
測定前最後に飲食した時間	5時20分頃
最後に飲食したもの	鮭おにぎり，麦茶

「ロカボ」の基準：1食当たり20～40g，
1日当たり70～130gをめどに糖質を摂ります。
食品に糖質の記載がない場合は，
炭水化物の量で換算します。

食事記録表

日付	勤務時間	食事時間・内容	食事時間・内容	食事時間・内容
9/21（月）	6時～15時	5時20分頃 鮭おにぎり，麦茶	13時00分頃 グリル野菜のサラダ，麦茶，レバニラ炒め，味噌汁（シジミ）	21時00分頃 フライドチキン，鶏肉とにんにくの芽炒め，オイキムチ，キャベツ千切り，ごぼうサラダ，ふすまのチョコパン，レモンハイ
9/22（火）	時～　時	8時30分頃 ハムとチーズのロール，ウーロン茶	12時00分頃 ラーメン（麺半分60g），ウーロン茶，ふすまパン（マーガリン）	21時00分頃 おろしとんかつ，鶏肉とにんにくの芽炒め，キャベツ千切り，ごぼうサラダ，レモンハイ1杯，ワイン1杯
9/23（水）	6時～15時	5時20分頃 ふすまのヨーグルトパン，麦茶	12時00分頃 ふすまパン2個，メンチ，蒸し焼き鶏，シーチキン＆コーンサラダ（シーザードレッシング），麦茶	21時00分頃 鮭・たまねぎ・しめじのホイル焼き，しそささみカツ，スパゲッティカルボナーラ，レモンハイ1杯，ワイン1杯
9/24（木）	6時～15時	5時20分頃 ふすまのチョコロール，ウーロン茶	12時30分頃 ハンバーグ＆ナポリタン，豚しゃぶサラダ，味噌汁（シジミ），ウーロン茶	21時15分頃 チキンカツ（おろしぽん酢），冷や奴，キャベツ・きゅうり千切り・ミニトマト，ポテトサラダ，レモンハイ，ワイン
9/25（金）	6時～15時	5時20分頃 鮭おにぎり，麦茶	12時10分頃 豆腐ハンバーグのサラダ，フランクフルト，味噌汁（野菜），麦茶	21時00分頃 サバの味噌煮，卵焼き，豚の生姜焼き，しめじともやしの炒め物，レモンハイ1杯，ワイン1杯
9/26（土）	時～　時	5時20分頃 かつ丼おにぎり，ウーロン茶	13時00分頃 おにぎり3個，じゃがいも・人参・ベーコン炒め，かぼちゃサラダ，鶏肉とゆで卵煮，ブロッコリー・トマトサラダ，麦茶	20時00分頃 おでん（はんぺん，つみれ，大根，がんもどき），じゃがいも・人参・ベーコン炒め，野菜サラダ・ブロッコリー，鶏肉とゆで卵煮，レモンハイ1杯，ワイン1杯
9/27（日）	時～　時	8時30分頃 ふすまのオレンジパン，麦茶	11時30分頃 ふすまパン2個，ふすまのチョコパン，カレー（ご飯なし），麦茶	21時00分頃 餃子，かぼちゃサラダ，冷や奴，ビール2杯，ワイン1杯

フィードバックコメント　とても良いです！　ラーメンの麺半分やカレーのご飯を抜かれていたり，上手にふすまパンを取り入れたり，とても良いです！　お酒もGoodです！　ビールの日は主食を控えているので2本は問題なく40g以内に収まっています。強いてアドバイスすると，おにぎりは1個まで，かぼちゃサラダ，ポテトサラダは糖質が多いので，他のサラダにするとよいです。でもとてもよく頑張られていると思います！

症例16

提出日　平成 ○年 7月 ×日　　　　　　　　　　　　　　　　　氏名 T. M.

※週初めに血糖値を測定し右欄に記入したら，
　担当者に提出して下さい。

「ロカボ」の基準：1食当たり20〜40g，
1日当たり70〜130gをめどに糖質を摂ります。
食品に糖質の記載がない場合は，
炭水化物の量で換算します。

週初め出勤時の体重	
週初め出勤時の血糖値	104
測定した日時	7/6（水）10時15分頃
測定前最後に飲食した時間	5時30分頃
最後に飲食したもの	おにぎり，カフェラテ，紅茶

食事記録表

日付	勤務時間	食事時間・内容	食事時間・内容	食事時間・内容
6/27（月）	7時30分〜18時30分	5時30分頃アイスコーヒー無糖（＋牛乳），フランスパン，ハンバーグ（小さいもの），サラダ	11時50分頃弁当	21時00分頃冷やし中華（半分以上は野菜入り）
6/28（火）	7時30分〜18時	7時20分頃カフェラテ，ベルギーワッフル	12時00分頃弁当	21時10分頃サバの塩焼き，なめ茸と大根おろし，肉じゃが，きんぴらごぼう
6/29（水）	7時30分〜18時10分	5時20分頃お茶漬け	11時40分頃チキン南蛮（チキン山盛り，キャベツ，ご飯2口ほど）	21時00分頃夕食抜き（昼間に食べ過ぎ，食欲なし）
6/30（木）	7時15分〜18時15分	7時50分頃五目おにぎり，カフェラテ	11時50分頃つけ麺	20時30分頃麻婆豆腐，サラダ，焼き鳥，焼酎ロック2杯
7/1（金）	7時35分〜18時	7時20分頃カフェラテ，サンドイッチ	11時55分頃刀削麺，焼売，サラダ	18時30分頃焼き魚，煮物，きゅうり・トマトサラダ，焼酎ロック2杯
7/2（土）	時〜　時	9時30分頃トースト，目玉焼き，アイスコーヒー（無糖+牛乳）	13時20分頃寿司，吸い物	18時00分頃焼き鳥，漬物，煮物，焼酎ロック2杯
7/3（日）	時〜　時	8時20分頃朝食抜き	11時30分頃スクランブルエッグ，トースト	19時10分頃刺身，豆腐1丁，卵焼き，サラダ，ウイスキーロック2杯

フィードバックコメント　夕食が特に良い内容ですね。夕食はもうアドバイスする箇所がまったくないです！！トーストは8枚切1枚で20gくらいの糖質だったり，サンドイッチも約25〜30gくらいなので，朝食も上手に40g以内にされていて良いですね。お寿司は1貫で約8gくらいの糖質量なので，貫数を調整してつまみをたっぷり食べ，1食40gにできたらなお良いですね。

症例17

提出日　平成 ○年 7月 ×日　　　　　　　　　　　　　　氏名 G. I.

※週初めに血糖値を測定し右欄に記入したら，
　担当者に提出して下さい。

週初め出勤時の体重	120
週初め出勤時の血糖値	109
測定した日時	7/4（月）7時30分頃
測定前最後に飲食した時間	7/3（日）20時頃
最後に飲食したもの	ケーキ

「ロカボ」の基準：1食当たり20〜40g，
1日当たり70〜130gをめどに糖質を摂ります。
食品に糖質の記載がない場合は，
炭水化物の量で換算します。

食事記録表

日付	勤務時間	食事時間・内容	食事時間・内容	食事時間・内容
6/27（月）	時〜時	9時00分頃 照り焼きチキン卵サンド，麦茶	12時30分頃 カットサラダ，フライドチキン（ムネ）	22時00分頃 生ビール1杯，ハイボール6杯，居酒屋つまみ（鶏，サラダなど）
6/28（火）	時〜時	9時00分頃 照り焼きチキン卵サンド，麦茶	14時00分頃 ラーメン，ライス	22時00分頃 ハイボール3杯，ゴーヤチャンプルー
6/29（水）	時〜時	9時00分頃 なし	14時00分頃 卵サンド，フランクフルト，カフェラテ	20時00分頃 焼酎ロック3杯，カットレタス，砂肝塩焼き
6/30（木）	時〜時	8時00分頃 健康パン（ハム卵），コーヒー無糖	13時00分頃 カットサラダ，焼き鳥2本	22時00分頃 焼酎ロック3杯，ウイスキーロック2杯，カツオたたき，キャベツ千切り，味噌汁
7/1（金）	時〜時	9時00分頃 なし	13時00分頃 レタスハムサンド，フランクフルト	22時00分頃 焼酎ロック3杯，ウイスキーロック2杯，たこぶつ，厚揚げ，チーズ
7/2（土）	時〜時	9時00分頃 ゆで卵2個	14時00分頃 カットサラダ，焼き鳥2本	20時00分頃 ビール1本，焼酎ロック3杯，豆腐2/3丁，砂肝塩焼き，鶏モモ焼き
7/3（日）	時〜時	8時00分頃 ところてん，ゆで卵2個	12時00分頃 鶏唐揚げ定食（ご飯抜き）	17時00分頃 ビール1本，ハイボール3杯，豆腐2/3丁，刺身（ハマチ，タイ，マグロ），豚テキ，ケーキ

フィードバックコメント　ロカボをとてもよく理解していらっしゃいますね！！　おかずの内容はもちろん，お酒はビールは1本までにして，糖質の低いお酒やおかずと上手に組み合わせ1食40gにしているのもすごいと思います！　たまの息抜きのラーメン，良いと思いますが，ライスと一緒だけはやめましょう。チャーシュー・卵をトッピングするのはもちろんOKです。

実践編

7章 ● 糖質制限指導事例

症例18

提出日　平成 ○年 7 月 ×日

氏名 T. H.

※週初めに血糖値を測定し右欄に記入したら，
　担当者に提出して下さい。

「ロカボ」の基準：1食当たり 20～40g，
1日当たり 70～130g をめどに糖質を摂ります。
食品に糖質の記載がない場合は，
炭水化物の量で換算します。

週初め出勤時の体重	87
週初め出勤時の血糖値	100
測定した日時	7/4（月）8時00分頃
測定前最後に飲食した時間	21時00分頃
最後に飲食したもの	昨晩の夕食

食事記録表

日付	勤務時間	食事時間・内容	食事時間・内容	食事時間・内容
6/27（月）	時～　時	8時00分頃 鮭塩焼き，ソーセージ，ひじき煮，サラダ，味噌汁，ご飯1/3，ゆで卵	12時00分頃 たまねぎサラダ，メンチ，卵豆腐，ふすまパン	19時00分頃 枝豆，野菜天ぷら，冷や奴，焼き鳥，ハイボール6杯
6/28（火）	時～　時	9時00分頃 唐揚げ5個，ストリングチーズ	12時00分頃 フライドチキン2個，サラダ，ホタテグラタン，牛乳	時　分頃 なし
6/29（水）	時～　時	7時30分頃 ツナサラダ，唐揚げ6個，味噌汁，糖質0gのうどん，メロン	12時30分頃 唐揚げ定食（ご飯1/3）	18時00分頃 チキン照り焼き，サラダ，糖質0gの麺
6/30（木）	時～　時	7時00分頃 ふすまパン，カフェラテ	12時30分頃 唐揚げ定食（ご飯1/3）	19時00分頃 寿司懐石，ビール1杯，ハイボール3杯
7/1（金）	時～　時	6時00分頃 糖質0gの麺，サラダチキン	12時00分頃 おにぎり1個，サンドイッチ	19時00分頃 ハイボール5杯，麻婆豆腐，チキン照り焼き，クラゲサラダ
7/2（土）	時～　時	7時30分頃 豆腐のそうめん風，サラダチキン，切り落としチャーシュー，チーズ	12時00分頃 紅鮭弁当（ご飯1/3）	19時30分頃 ジンギスカン，枝豆，冷や奴，シーザーサラダ，ハイボール2杯
7/3（日）	時～　時	8時00分頃 トースト1枚，カフェラテ	13時00分頃 エビかき揚げ丼（ご飯1/3），大根サラダ	19時00分頃 枝豆，サラダ，冷や奴，ザンギ2個，刺身，スペアリブ，ハイボール6杯

フィードバックコメント

とても上手に主食をコントロールされていますね。ご飯を1/3にしたり，ふすまパンにしたり，糖質0gの麺にしたり，トーストは1枚にしたり，良いですね。おかずの内容もお酒の選び方も良いです。グラタンはホワイトソースに小麦粉が入っていたり，マカロニの糖質が多いです。おにぎりとサンドイッチは両方糖質が多いメニューなので，どちらか1つにして唐揚げやチキンサラダなどに変えるとなお良いです。

99

症例19

提出日　平成 ○年 7月 ×日　　　　　　　　　　　　　　　氏名 T. S.

※週初めに血糖値を測定し右欄に記入したら，
　担当者に提出して下さい。

週初め出勤時の体重	118
週初め出勤時の血糖値	95
測定した日時	7/4（月）9時30分頃
測定前最後に飲食した時間	19時00分頃
最後に飲食したもの	シラス，鶏の唐揚げ，ひじき煮，ビール（糖質0）

「ロカボ」の基準：1食当たり20～40g，
1日当たり70～130gをめどに糖質を摂ります。
食品に糖質の記載がない場合は，
炭水化物の量で換算します。

食事記録表

日付	勤務時間	食事時間・内容	食事時間・内容	食事時間・内容
6/27（月）	時～時	時　分頃 食事なし	14時00分頃 ミックスサラダ，半熟卵，鶏の唐揚げ	19時00分頃 居酒屋（サラダ・糖質の少ないもの）
6/28（火）	時～時	時　分頃 食事なし	14時00分頃 唐揚げ定食	23時00分頃 ツナ缶，卵豆腐
6/29（水）	時～時	時　分頃 食事なし	14時20分頃 ハンバーグ（米なし），サラダバー	19時00分頃 居酒屋（サラダ・糖質の少ないもの）
6/30（木）	時～時	時　分頃 食事なし	12時00分頃 豚汁，アジフライ，ほうれん草のごま和え，豚となすの炒め，卵焼き	20時00分頃 居酒屋（サラダ・糖質の少ないもの）
7/1（金）	時～時	8時00分頃 唐揚げ，ツナ卵サンド	14時00分頃 蒸し鶏のサラダ，唐揚げ，もやしスープ	時　分頃 食事なし
7/2（土）	時～時	時　分頃 食事なし	時　分頃 食事なし	19時00分頃 豚もやし炒め，めかぶ，えのき炒め，ビール（糖質0）
7/3（日）	時～時	7時20分頃 ツナサンド，つくね串	11時00分頃 カレー	18時00分頃 シラス，鶏の唐揚げ，ひじき煮，ビール（糖質0）

フィードバックコメント	主食を控えたり，お酒を糖質0のものにして糖質を控えて良いですね。おかずの内容すべてとても良いです。カレーと定食のときはできればご飯を半分にして，サラダや刺身，冷や奴，唐揚げなどを追加できるともっと良いですね。お食事はできれば1日3回しっかり食べるようにして下さい。ロカボは主食は控えめに，でもしっかりたくさん食べて健康にダイエットする方法です！

実践編

7章 ● 糖質制限指導事例

症例20

提出日　平成 ○年 6月 ×日　　　　　　　　　　　　氏名 H. K.

※週初めに血糖値を測定し右欄に記入したら，担当者に提出して下さい。

「ロカボ」の基準：1食当たり20～40g，
1日当たり70～130gをめどに糖質を摂ります。
食品に糖質の記載がない場合は，
炭水化物の量で換算します。

週初め出勤時の血糖値	114
測定した日時	6/24（金）7時30分頃
測定前最後に飲食した時間	5時30分頃
最後に飲食したもの	ふすまパン

食事記録表

日付	勤務時間	食事時間・内容	食事時間・内容	食事時間・内容
6/20（月）	時～時	11時00分頃 ふすまパン, ブラックコーヒー	18時00分頃 ブラックコーヒー	20時30分頃 こんにゃく麺の冷麺
6/21（火）	時～時	5時30分頃 ふすまパン, ブラックコーヒー	12時00分頃 豆腐と鶏肉のそぼろ	16時00分頃 ふすまパン2個, カロリー0コーラ
6/22（水）	時～時	時　分頃 食事なし	13時00分頃 ウインナーと卵焼き, ブラックコーヒー	20時00分頃 こんにゃく麺の冷麺
6/23（木）	時～時	5時30分頃 ふすまシリアルとプレーンヨーグルト	12時00分頃 卵焼き, 豆腐ハンバーグ	16時00分頃 ふすまパン2個, カロリー0コーラ
6/24（金）	時～時	5時30分頃 ふすまパン	13時00分頃 ふすまパン, ブラックコーヒー	20時30分頃 こんにゃく麺の冷麺
6/25（土）	時～時	7時00分頃 ふすまパン2個, ブラックコーヒー	13時00分頃 チキンナゲット, カロリー0コーラ	21時00分頃 野菜炒め
6/26（日）	時～時	7時00分頃 ふすまパン2個, ブラックコーヒー	13時00分頃 ハンバーグ, カロリー0コーラ	20時00分頃 サラダ, こんにゃく麺焼きそば

フィードバックコメント　糖質量は1食40gに収まっていますが，もう少したくさん食べたほうがよい気がします。たとえば，朝にゆで卵やチーズ，チキンサラダなども加えるとか，ランチなら卵サラダ，ツナサラダ，唐揚げ，納豆や冷や奴，枝豆などコンビニエンスストアで手軽に購入できますので加えてみる，夜はお刺身，焼き魚，焼き鳥，豚の生姜焼き，もつ煮，ハンバーグなどこれらもコンビニエンスストアで売っていますので，手軽に1～2品加えて食べてみてはどうでしょうか？

101

症例21

提出日　平成 ○年 6月 ×日　　　　　　　　　　　氏名 M. S.

※週初めに血糖値を測定し右欄に記入したら，
　担当者に提出して下さい。

週初め出勤時の体重	81.8
週初め出勤時の血糖値	145
測定した日時	6/26（日）18時00分頃
測定前最後に飲食した時間	21時30分頃
最後に飲食したもの	日本酒

「ロカボ」の基準：1食当たり20～40g，
1日当たり70～130gをめどに糖質を摂ります。
食品に糖質の記載がない場合は，
炭水化物の量で換算します。

食事記録表

日付	勤務時間	食事時間・内容	食事時間・内容	食事時間・内容
6/20（月）	時～時	時　分頃	14時30分頃 焼きそば，唐揚げ5個	21時00分頃 日本酒2合，珍味
6/21（火）	時～時	時　分頃	11時30分頃 焼き肉定食	22時00分頃 日本酒3合，ソーセージ2本
6/22（水）	時～時	時　分頃	14時00分頃 菓子パン2個	22時30分頃 日本酒4合，珍味
6/23（木）	時～時	時　分頃	14時30分頃 菓子パン2個	21時30分頃 日本酒3合
6/24（金）	時～時	時　分頃	11時00分頃 チャーハン	23時00分頃 日本酒2合
6/25（土）	時～時	時　分頃	11時20分頃 カップラーメン	21時30分頃 日本酒3合，おつまみせんべい2パック
6/26（日）	時～時	時　分頃	時　分頃	22時00分頃 日本酒4合，ソーセージ3本

フィードバックコメント　かなり危険な食生活です！！！　まず，糖質がまったく控えられていません！　焼きそばやラーメンなどの麺，定食のご飯，チャーハンのご飯，菓子パンの砂糖とパン，日本酒，すべて糖質の多いものです。その代わり唐揚げ，焼き肉は糖質が少ないのでたっぷり食べてOKです！　まずはそば，麺，パン，ご飯を半分にして，その代わり唐揚げ，焼き肉，ソーセージはもちろん，刺身，焼き魚といったお魚料理，冷や奴，枝豆，厚揚げといった大豆料理，サラダや卵料理をたくさん加えてお腹いっぱい食べて下さい。日本酒は1～2合までにして，焼酎，ハイボール，ワイン，糖質オフビールなどで楽しんでみて下さい。

症例 22

提出日　平成 ○年 6月 ×日

氏名 T. H.

※週初めに血糖値を測定し右欄に記入したら，
　担当者に提出して下さい。

週初め出勤時の血糖値	199
測定した日時	6／13（月）11時33分頃
測定前最後に飲食した時間	8時30分頃
最後に飲食したもの	ふすまパン

「ロカボ」の基準：1食当たり20〜40g，
1日当たり70〜130gをめどに糖質を摂ります。
食品に糖質の記載がない場合は，
炭水化物の量で換算します。

食事記録表

日付	勤務時間	食事時間・内容	食事時間・内容	食事時間・内容
6／13（月）	17時〜0時	8時30分頃 ふすまパン，コーヒー（ブラック），キャベツ千切り	15時00分頃 おにぎり1個，お茶	21時00分頃 焼き魚，もやし炒め，刺身，ご飯1杯
6／14（火）	0時〜8時	8時00分頃 ふすまパン，コーヒー（ブラック）	12時00分頃 ラーメン，納豆，キャベツ千切り	19時00分頃 焼き魚，野菜炒め，刺身，ご飯1杯
6／15（水）	時〜 時	9時30分頃 ふすまパン，コーヒー（ブラック）	12時00分頃 そば，納豆，キャベツ千切り	19時00分頃 焼き魚，レバニラ炒め，刺身，ご飯1杯
6／16（木）	11時〜0時	8時30分頃 ふすまパン，コーヒー（ブラック），キャベツ千切り	15時00分頃 おにぎり1個，スモークチーズ，お茶	21時00分頃 焼き魚，鶏塩焼き，キャベツ千切り，刺身，ご飯1杯
6／17（金）	0時〜8時	8時00分頃 ふすまパン，コーヒー（ブラック）	12時30分頃 ラーメン，納豆，キャベツ千切り	21時00分頃 焼き魚，野菜炒め，刺身，ご飯1杯
6／18（土）	11時〜0時	8時30分頃 ふすまパン，コーヒー（ブラック），キャベツ千切り	15時00分頃 おにぎり1個，お茶	21時00分頃 焼き魚，カニ玉，刺身，ご飯1杯
6／19（日）	0時〜8時	8時00分頃 ふすまパン，コーヒー（ブラック）	12時30分頃 パスタ，納豆，キャベツ千切り	19時00分頃 焼き魚，野菜炒め，刺身，ご飯1杯

フィードバックコメント　血糖値199はほぼ糖尿病の数値です！　気合いを入れて頑張り，健康な体を取り戻しましょう！　ふすまパンを取り入れたり，キャベツを取り入れたり，おかずの内容はすべて良いですね！　朝は糖質量に余裕がありますし，タンパク質として卵やチーズ，お肉などを加えてもなお良いと思います。夕食のご飯は半膳にして，その代わりおかずをもっと増やし，お腹いっぱい食べるようにしてみて下さい。

症例23

提出日　平成 ○年 6月 ×日　　　　　　　　　　　　　　氏名 J. T.

※週初めに血糖値を測定し右欄に記入したら，
　担当者に提出して下さい。

週初め出勤時の血糖値	199
測定した日時	6/20（月）11時56分頃
測定前最後に飲食した時間	5時30分頃
最後に飲食したもの	サンドイッチ

「ロカボ」の基準：1食当たり20〜40g，
1日当たり70〜130gをめどに糖質を摂ります。
食品に糖質の記載がない場合は，
炭水化物の量で換算します。

食事記録表

日付	勤務時間	食事時間・内容	食事時間・内容	食事時間・内容
6/13（月）	時〜時	時　分頃	時　分頃	時　分頃
6/14（火）	時〜時	5時30分頃 おにぎり1個	12時00分頃 イクラちらし寿司	20時00分頃 エビ焼売，豆腐
6/15（水）	時〜時	5時30分頃 おにぎり1個，野菜ジュース	12時00分頃 ハンバーグ，味噌汁	21時30分頃 生姜焼き，ビール
6/16（木）	時〜時	7時30分頃 食パン2枚	12時00分頃 焼きそば	19時00分頃 ご飯，ホッケ，おひたし，ビール
6/17（金）	時〜時	5時30分頃 おにぎり1個	時　分頃 海鮮丼	19時30分頃 冷やし中華
6/18（土）	時〜時	時　分頃 おにぎり1個	時　分頃 のり弁当	19時30分頃 カレーライス
6/19（日）	時〜時	時　分頃 食パン2枚	時　分頃 そうめん	20時30分頃 チャーハン

フィードバックコメント　血糖値199はとても高いです！！　200は糖尿病の診断基準です！！　かなり気合いを入れましょう。まず，今の内容はかなり良くないです。ご飯や麺，パンの量を半分にして，ハンバーグ，お刺身，焼き魚，豆腐，サラダ，唐揚げ，卵焼きなどを好きなだけ一緒に食べるようにしましょう！　ビールは糖質オフのものにするか，焼酎，ワインなどに変えてみましょう。

症例24

提出日　平成 ○年 6月 ×日　　　　　　　　　　　　　氏名 H. H.

※週初めに血糖値を測定し右欄に記入したら，
　担当者に提出して下さい。

「ロカボ」の基準：1食当たり20〜40g,
1日当たり70〜130gをめどに糖質を摂ります。
食品に糖質の記載がない場合は，
炭水化物の量で換算します。

週初め出勤時の体重	60.2
週初め出勤時の血糖値	98
測定した日時	6／20（月）9時00分頃
測定前最後に飲食した時間	7時30分頃
最後に飲食したもの	卵豆腐

食事記録表

日付	勤務時間	食事時間・内容	食事時間・内容	食事時間・内容
6/13 （月）	時〜 時	8時00分頃 バナナ豆乳	13時30分頃 鶏唐揚げ4個	0時00分頃 焼き鳥, 野菜ハンバーグ半分
6/14 （火）	時〜 時	9時00分頃 豆腐	12時00分頃 鶏唐揚げ4個	18時00分頃 ラーメン, サラダ1/4, 唐揚げ, ハイボール, 手羽先, チーズ春巻き
6/15 （水）	時〜 時	11時00分頃 ふすまパン, 白パン, 卵, ハム, お茶	時　分頃	1時00分頃 カロリー0のゼリー, ビタミンドリンク, ふすまパンシナモン, あらびきフランク
6/16 （木）	時〜 時	9時00分頃 カロリー0のゼリー	14時00分頃 カロリー0のゼリー, チーズメンチカツ1個	22時00分頃 串かつ
6/17 （金）	時〜 時	時　分頃	13時00分頃 カロリー0ゼリー, ウーロン茶	1時00分頃 チーズケーキフラッペ, マドレーヌ半分, あらびきフランク
6/18 （土）	時〜 時	時　分頃	14時00分頃 低糖質カップ麺, カロリー0のゼリー半分	20時00分頃 ハイボール, ウーロンハイ, しゃぶしゃぶ（肉・野菜）
6/19 （日）	時〜 時	時　分頃	13時00分頃 フライドチキン3個, お茶, スポーツドリンク	18時30分頃 ゆずハイボール, ウーロンハイ

フィードバックコメント　お食事の内容は糖質的に良いです。ただ全体的にもう少ししっかり食べたほうがよいと思います。ロカボはエネルギーはまったく気にしないで糖質だけを控え，お肉，お魚，豆腐，卵，野菜をしっかり食べ，血糖値を上げずに，エネルギーをしっかり燃やす，健康的なダイエットです。

症例25-1回目指導

提出日　平成 ○年 8月 19日　　　　　　　　　　　氏名 S. Y.

※週初めに血糖値を測定し右欄に記入したら，
　担当者に提出して下さい。

週初め出勤時の血糖値	207
測定した日時	8/13（木）12時50分頃
測定前最後に飲食した時間	10時30分頃
最後に飲食したもの	ご飯，生卵，味噌汁，魚

「ロカボ」の基準：1食当たり20～40g，
1日当たり70～130gをめどに糖質を摂ります。
食品に糖質の記載がない場合は，
炭水化物の量で換算します。

食事記録表

日付	勤務時間	食事時間・内容	食事時間・内容	食事時間・内容
／（月）	時～時	時　分頃	時　分頃	時　分頃
／（火）	時～時	時　分頃	時　分頃	時　分頃
／（水）	時～時	時　分頃	時　分頃	時　分頃
8/13（木）	12時～7時	10時30分頃 ご飯，魚（アジ1尾），生卵，味噌汁	16時30分頃 ポークウインナーとチーズのロール1個，チーズとハムのロール2個，生姜焼き（肉）2枚，味噌汁	0時00分頃 ポークウインナーとチーズのロール1個，チーズとハムのロール2個，コーヒー（甘さ控えめ）1缶
8/14（金）	時～時	時　分頃	16時00分頃 ポークウインナーとチーズのロール1個，チーズとハムのロール2個，魚（鮭）1切，ひじき	21時00分頃 チキンソテー（ムネ）1枚，ご飯，オニオンスープ，生野菜
8/15（土）	時～時	時　分頃	時　分頃	時　分頃
8/16（日）	時～時	13時00分頃 ドライカレー（小皿），ご飯（半分くらい），スポーツドリンク紙コップ3杯	18時00分頃 ふすまパン1個，ふすまのごぼうサラダパン1個，コーヒー（甘さ控えめ）1缶	22時00分頃 肉野菜炒め，お新香，ご飯（半膳），味噌汁

フィードバックコメント　全体的に良いです。ご飯を半膳にして，足りなければおかずをもっと食べても大丈夫です。スポーツドリンクは糖質0のものを選んで下さい。コーヒーも甘さ控えめではなく，糖質0のものを選んで下さい。

症例 25−2回目指導

提出日　平成 ○年 8 月 26 日　　　　　　　　　　　　　　　　氏名 S. Y.

※週初めに血糖値を測定し右欄に記入したら，
　担当者に提出して下さい。

「ロカボ」の基準：1食当たり 20〜40g，
1日当たり 70〜130g をめどに糖質を摂ります。
食品に糖質の記載がない場合は，
炭水化物の量で換算します。

週初め出勤時の血糖値	201
測定した日時	8/18（火）12時00分頃
測定前最後に飲食した時間	10時30分頃
最後に飲食したもの	ご飯, ハムエッグ, 味噌汁, お新香

食事記録表

日付	勤務時間	食事時間・内容	食事時間・内容	食事時間・内容
／ （月）	時〜 時	時　分頃	時　分頃	時　分頃
8/18 （火）	12時〜7時	10時30分頃 ご飯（半膳），お新香, ハムエッグ, 味噌汁	16時30分頃 ポークウインナーとチーズのロール1個，ふすまパン2個，カルビ焼き150gくらい，コンソメスープ	0時00分頃 ポークウインナーとチーズのロール2個, コーヒー（甘さ控えめ）1缶
8/19 （水）	時〜 時	時　分頃	時　分頃	時　分頃
8/20 （木）	11時〜6時	9時00分頃 ポークウインナーとチーズのロール1個，ふすまパン2個, 卵焼き, 生野菜	16時00分頃 ポークウインナーとチーズのロール2個，豚ロース生姜焼き2枚，メンチカツ1枚，生野菜	0時00分頃 ポークウインナーとチーズのロール2個，おでん（ぼんじり2, 大根1, つくね1, おでん汁）
8/21 （金）	時〜 時	時　分頃	13時00分頃 親子丼ミニ, 唐揚げ2個	20時00分頃 ふすまのごぼうサラダパン2個，チーズとハムのロール2個，豚味噌漬け2枚，生野菜, ほうれん草のごま和え
8/22 （土）	時〜 時	10時30分頃 チーズとハムのロール4個, 卵焼き	時　分頃	20時00分頃 ポークウインナーとチーズのロール2個，ふすまオレンジパン2個，ふすまパン2個，サーモンのバター焼き（大）1切, 生野菜, しじみ味噌汁
8/23 （日）	時〜 時	時　分頃 ポークウインナーとチーズのロール2個, 卵焼き, コンソメスープ	時　分頃	時　分頃 ふすまパン6個，ポークウインナーとチーズのロール1個，サバの味噌漬け, ウインナー6本

フィードバックコメント　ご飯や主食の代わりに上手にふすまパンを取り入れていて良いですね！　ご飯を食べるときは半膳にしたり，丼はミニにするのもとても素晴らしいです。この調子で頑張りましょう。食後血糖値201はかなり要注意の数値です。さらに完全にするには，コーヒーは甘さ控えめより糖質のないものを選ぶとよいです。

症例25−3回目指導

提出日　平成 ○年 8 月 31 日　　　　　　　　　　　　　　　氏名 S. Y.

※週初めに血糖値を測定し右欄に記入したら，
　担当者に提出して下さい。

週初め出勤時の血糖値	199
測定した日時	8／26（水）12時00分頃
測定前最後に飲食した時間	20時30分頃
最後に飲食したもの	8／25の夜食

「ロカボ」の基準：1食当たり20〜40g，
1日当たり70〜130gをめどに糖質を摂ります。
食品に糖質の記載がない場合は，
炭水化物の量で換算します。

食事記録表

日付	勤務時間	食事時間・内容	食事時間・内容	食事時間・内容
8/24（月）	時〜　時	時　分頃	14時00分頃 ポークウインナーとチーズのロール2個，チーズとハムのロール1個，銀鮭1切，ほうれん草のごま和え	20時00分頃 ふすまパン4個，チーズとハムのロール3個，肉ニラ炒め，餃子6個，味噌汁（豆腐）
8/25（火）	時〜　時	時　分頃	14時30分頃 ポークウインナーとチーズのロール1個，チーズとハムのロール2個，オムレツ（卵2個とひき肉）	20時30分頃 ふすまパン2個，オレンジパン2個，ポークウインナーとチーズのロール1個，サバの味噌煮，味噌汁（豆腐），豚生姜焼き100g
8/26（水）	12時〜7時	時　分頃	16時30分頃 ふすまパン4個，チーズとハムのロール1個，豚焼き肉200g，ちくわ天3個，味噌汁（シジミ）	0時00分頃 チーズとハムのロール2個，ポークウインナーとチーズのロール1個，おでん（大根1，がんもどき2，卵1，ウインナー1）
8/27（木）	時〜　時	時　分頃	15時00分頃 豚肉とにんにくの芽炒め，春巻き，中華サラダ，ふすまパン2個，チーズとハムのロール2個	20時30分頃 ふすまパン4個，ポークウインナーとチーズのロール1個，とんかつ1枚，生野菜，メンチカツ1枚，味噌汁（アサリ）
8/28（金）	12時〜7時	時　分頃	15時00分頃 ふすまパン4個，ポークウインナーとチーズのロール1個，サバの塩焼き1尾，ひじき，ほうれん草のごま和え	0時00分頃 ポークウインナーとチーズのロール1個，チーズとハムのロール2個，おでん（大根2，卵2，スジ1，スープ）
8/29（土）	時〜　時	時　分頃	15時30分頃 ご飯（1膳），豚生姜焼き2枚，生野菜，味噌汁（シジミ）	20時30分頃 アジの開き2枚，ウインナー6本，ポークウインナーとチーズのロール1個，チーズとハムのロール3個
8/30（日）	時〜　時	10時00分頃 ポークウインナーとチーズのロール1個，チーズとハムのロール3個	14時00分頃 焼きそば	20時30分頃 ポークウインナーとチーズのロール1個，チーズとハムのロール2個，ふすまパン2個，ポークソテー，卵焼き，生野菜

フィードバックコメント　ほぼ完璧です！！　とても良いです。ふすまパンを上手に取り入れ，おかずも糖質の低いものをしっかり食べていて素晴らしいです！　強いて完璧を求めるならば，ご飯は半膳に，もちろん豚肉をもっと増やしてよいです。焼きそばは半分にしておでんなどを追加するとよいです。でも本当に良い感じです。食後の血糖値が高いので頑張って続けて下さい。

症例25−4回目指導

提出日　平成 ○年 9月 8日　　　　　　　　　　　　　　　氏名 S. Y.

※週初めに血糖値を測定し右欄に記入したら,
　担当者に提出して下さい。

週初め出勤時の血糖値	198
測定した日時	8/31（月）12時00分頃
測定前最後に飲食した時間	20時30分頃
最後に飲食したもの	8/30の夜食

「ロカボ」の基準：1食当たり20〜40g,
1日当たり70〜130gをめどに糖質を摂ります。
食品に糖質の記載がない場合は,
炭水化物の量で換算します。

食事記録表

日付	勤務時間	食事時間・内容	食事時間・内容	食事時間・内容
8/31 （月）	12時〜7時	時　分頃	16時30分頃 ふすまパン4個，チーズとハムのロール2個，野菜炒め，コンソメスープ	0時30分頃 ポークウインナーとチーズのロール2個，おでん（大根2，卵2，がんもどき1）
9/1 （火）	時〜 時	時　分頃	14時00分頃 チーズとハムのロール3個，ふすまパン2個，ホイコーロー	21時00分頃 チーズとハムのロール3個，ふすまパン2個，ポークウインナーとチーズのロール1個，鮭のバター焼き1切，豚焼き肉100g，味噌汁（アサリ）
9/2 （水）	12時〜7時	時　分頃	16時00分頃 ふすまパン4個，チーズとハムのロール2個，とんかつ，生野菜，メンチカツ，味噌汁（シジミ）	1時00分頃 ポークウインナーとチーズのロール2個，ゴーヤチャンプルー
9/3 （木）	時〜 時	時　分頃	15時00分頃 ご飯（半膳），生卵，のり，アジの開き1枚，味噌汁（ニラ卵）	21時00分頃 ご飯（半膳），豚角煮，筑前煮，煮卵2個，ひじき煮，ほうれん草のおひたし，味噌汁（豆腐）
9/4 （金）	12時〜7時	時　分頃	16時00分頃 ふすまパン4個，ポークウインナーとチーズのロール1個，ハンバーグ，目玉焼き，生野菜，コロッケ，チキンスープ	2時00分頃 ポークウインナーとチーズのロール1個，チーズとハムのロール2個，おでん（スジ2，大根1，卵1，がんもどき2）
9/5 （土）	時〜 時	時　分頃	15時00分頃 ショコラパン1個，ふすまパン2個，スクランブルエッグ，生野菜，ウインナー	21時30分頃 ご飯（半膳），チキンの味噌焼き，銀ダラの西京焼き，生野菜，味噌汁（アサリ）
9/6 （日）	時〜 時	10時00分頃 チーズとハムのロール2個，ふすまパン2個，卵焼き，ウインナー	時　分頃	19時30分頃 ふすまパン4個，ポークウインナーとチーズのロール1個，肉ニラ炒め，餃子，オニオンスープ

フィードバックコメント　ふすまパンを主食にしておかずたっぷり，もしくはご飯半膳でおかずたっぷり，とても良いです！ しかもおかずの内容もパーフェクト！ とても良いですね。血糖値198は高いですが，この調子で頑張れば，絶対に良い結果が出ます。頑張っていきましょう。

症例25−5回目指導

提出日 平成 ○年 9月 15日　　　　　　　　　　　　氏名 S. Y.

※週初めに血糖値を測定し右欄に記入したら，
担当者に提出して下さい。

週初め出勤時の血糖値	195
測定した日時	9/8（火）12時00分頃
測定前最後に飲食した時間	21時00分頃
最後に飲食したもの	9/7の夜食

「ロカボ」の基準：1食当たり20〜40g，
1日当たり70〜130gをめどに糖質を摂ります。
食品に糖質の記載がない場合は，
炭水化物の量で換算します。

食事記録表

日付	勤務時間	食事時間・内容	食事時間・内容	食事時間・内容
9/7（月）	時〜時	11時00分頃 チーズとハムのロール2個，ふすまパン2個，目玉焼き2個，豚角煮	15時30分頃 ふすまパン2個，ポークウインナーとチーズのロール1個，エビグラタン	21時00分頃 ご飯（半膳），ふすまパン2個，ポークソテー2枚，生野菜，コンソメスープ
9/8（火）	12時〜7時	時　分頃	15時30分頃 ふすまパン4個，ポークウインナーとチーズのロール1個，ハンバーグ，目玉焼き，ポテト（少々），味噌汁（シジミ）	1時00分頃 ポークウインナーとチーズのロール1個，チーズとハムのロール2個，おでん（がんもどき1，卵1，大根2，つくね1）
9/9（水）	時〜時	時　分頃	15時00分頃 ご飯（半膳），アジの開き1枚，卵焼き，豚汁2杯	20時00分頃 ご飯（半膳），大根煮，豚肉生姜焼き4枚，焼き鮭1切，味噌汁（アサリ）
9/10（木）	12時〜7時	時　分頃	16時00分頃 ミニスタミナ丼，生野菜，味噌汁（アサリ）	1時30分頃 ポークウインナーとチーズのロール2個，チーズとハムのロール2個，豚汁
9/11（金）	時〜時	時　分頃	14時30分頃 ご飯（半膳），塩サバ1切，ウインナー，煮卵2個，味噌汁（シジミ）	時　分頃 ふすまパン6個，チキンソテー2枚，生野菜，コンソメスープ，きんぴらごぼう
9/12（土）	12時〜6時	時　分頃	16時00分頃 ふすまパン4個，チーズとハムのロール2個，麻婆豆腐，春巻き，棒々鶏	1時00分頃 ポークウインナーとチーズのロール1個，チーズとハムのロール2個，おでん（がんもどき1，卵2，大根1，スジ1）
9/13（日）	時〜時	11時00分頃 ポークウインナーとチーズのロール1個，チーズとハムのロール2個	時　分頃	20時00分頃 とんかつ，メンチカツ，生野菜，ふすまパン6個，豚汁

フィードバックコメント　120点の内容です。ご飯を半膳にしたり，ふすまパンを取り入れたり，おかずもとても良い内容です。血糖値はまだかなり高いので，このままこの調子で頑張って下さい！

実践編

7章 ● 糖質制限指導事例

症例25−6回目指導

提出日　平成 ◯年 10月 8日　　　　　　　　　　　　　氏名 S. Y.

※週初めに血糖値を測定し右欄に記入したら，
　担当者に提出して下さい。

週初め出勤時の血糖値	172
測定した日時	9／28（月）12時00分頃
測定前最後に飲食した時間	21時00分頃
最後に飲食したもの	9／27の夜食

「ロカボ」の基準：1食当たり20〜40g，
1日当たり70〜130gをめどに糖質を摂ります。
食品に糖質の記載がない場合は，
炭水化物の量で換算します。

食事記録表

日付	勤務時間	食事時間・内容	食事時間・内容	食事時間・内容
9／28（月）	12時〜7時	時　分頃	15時30分頃 ふすまパン4個，鶏の唐揚げ6個，餃子10個，春雨サラダ	1時00分頃 ミニ親子丼，味噌汁（アサリ）
9／29（火）	時〜　時	時　分頃	14時30分頃 ご飯（半膳），オムレツ，生野菜	20時30分頃 ご飯（半膳），ハンバーグ2枚，コンソメスープ，マカロニサラダ
9／30（水）	12時〜7時	時　分頃	16時00分頃 ミニスタミナ丼，味噌汁（シジミ）	1時00分頃 チーズとハムのロール2個，ポークウインナーとチーズのロール1個，酢豚，豚しゃぶのごま和えサラダ
10／1（木）	時〜　時	時　分頃	14時30分頃 ふすまパン4個，スクランブルエッグ，ウインナー，生野菜	21時00分頃 ご飯（半膳），アジの開き2枚，豚角煮，味噌汁（豆腐）
10／2（金）	12時〜7時	時　分頃	10時00分頃 バターチキンカレー，チーズナン（小）1枚，生野菜	2時00分頃 チーズとハムのロール2個，ポークウインナーとチーズのロール1個，おでん（大根2，がんもどき1，卵2）
10／3（土）	時〜　時	時　分頃	14時00分頃 ご飯（半膳），肉野菜炒め，チキンスープ	21時00分頃 ご飯（半膳），クリームシチュー（じゃがいも抜き）1杯半
10／4（日）	時〜　時	10時00分頃 ご飯（半膳），目玉焼き，スパム，生野菜	時　分頃	21時00分頃 ふすまパン6個，クリームシチュー（じゃがいも抜き）2杯

フィードバックコメント　とても良いです！　ご飯半膳や主食にふすまパンを取り入れられているのはもちろん，おかずの内容も良いです。しかも，クリームシチューからじゃがいもを抜かれているのもすごいです！　よく理解しておられるのでとてもうれしいです。引き続き頑張って下さい！

111

症例25−7回目指導

提出日　平成 ○年 10月 15日　　　　　　　　　　　氏名 S. Y.

※週初めに血糖値を測定し右欄に記入したら，
　担当者に提出して下さい。

週初め出勤時の血糖値	170
測定した日時	10/5（月）12時00分頃
測定前最後に飲食した時間	21時00分頃
最後に飲食したもの	10/4の夜食

「ロカボ」の基準：1食当たり20〜40g，
1日当たり70〜130gをめどに糖質を摂ります。
食品に糖質の記載がない場合は，
炭水化物の量で換算します。

食事記録表

日付	勤務時間	食事時間・内容	食事時間・内容	食事時間・内容
10/5（月）	12時〜6時	時　分頃	16時00分頃 ご飯（半膳），チーズハンバーグ2枚，生野菜	1時30分頃 チーズとハムのロール2個，ポークウインナーとチーズのロール1個，おでん（大根1，卵1，スジ1，つくね1）
10/6（火）	時〜時	時　分頃	14時00分頃 ふすまパン2個，豚焼き肉，コンソメスープ，生野菜	20時30分頃 ご飯（半膳），豚焼き肉，アジの開き1枚，生野菜，味噌汁（油揚げ）
10/7（水）	時〜時	時　分頃	14時00分頃 ふすまパン2個，卵焼き，ウインナー（チーズ入り），生野菜	21時00分頃 ご飯（半膳），チキンのクリーム煮（白菜・マッシュルーム・しめじ入り），焼鮭1切，味噌汁（アサリ）
10/8（木）	12時〜7時	時　分頃	16時00分頃 バターチキンカレー，チーズナン（小），生野菜	1時30分頃 チーズとハムのロール2個，ポークウインナーとチーズのロール1個，春雨と卵のスープ
10/9（金）	時〜時	時　分頃	15時00分頃 スパゲッティミートソース，チキンコンソメスープ	21時00分頃 ご飯（半膳），味噌汁（豆腐），サンマ1尾，お新香（白菜），豚角煮
10/10（土）	12時〜7時	時　分頃	15時30分頃 ミニ親子丼，豚汁，生野菜	1時30分頃 ふすまパン4個，おでん（大根2，卵2，がんもどき1，スジ1）
10/11（日）	時〜時	10時00分頃 トースト1枚，ホットコーヒー1杯，目玉焼き，ウインナー	時　分頃	20時00分頃 ご飯（半膳），豚汁，肉野菜のカレー炒め，アジの開き1枚

フィードバックコメント　とてもとても良い内容ですね！　とてもよく理解されているので，上手に工夫されていて，いつ見ても本当に感心してしまいます。血糖値は高めですが，この調子で頑張って良い数値にしましょう！

症例25−8回目指導

提出日　平成 ○年 10月 23日　　　　　　　　　　　　　氏名 S. Y.

※週初めに血糖値を測定し右欄に記入したら，
　担当者に提出して下さい。

「ロカボ」の基準：1食当たり20〜40g，
1日当たり70〜130gをめどに糖質を摂ります。
食品に糖質の記載がない場合は，
炭水化物の量で換算します。

週初め出勤時の血糖値	168
測定した日時	10／12（月）12時00分頃
測定前最後に飲食した時間	21時00分頃
最後に飲食したもの	10／11の夜食

食事記録表

日付	勤務時間	食事時間・内容	食事時間・内容	食事時間・内容
10／12（月）	12時〜6時	時　分頃	16時00分頃 ミニ豚丼，味噌汁（豆腐），あんかけ豆腐	1時30分頃 ふすまパン4個，おでん（大根2，卵2，がんもどき1）
10／13（火）	時〜　時	時　分頃	15時00分頃 トースト1枚，目玉焼き，ウインナー，生野菜	20時30分頃 ご飯（半膳），すき焼き（豚肉，白菜，豆腐，春菊など）
10／14（水）	時〜　時	時　分頃	15時00分頃 ご飯（半膳），卵焼き，ウインナー，生野菜	20時00分頃 ご飯（半膳），すき焼き（豚肉，白菜，豆腐，春菊など）
10／15（木）	12時〜6時	時　分頃	16時00分頃 ミニ親子丼，ほうれん草のごま和え，味噌汁（油揚げ）	2時00分頃 ミニ牛丼，味噌汁，お新香
10／16（金）	時〜　時	時　分頃	15時00分頃 トースト1枚，コーヒー1杯，チーズウインナー，ゆで卵1個	21時00分頃 ご飯（半膳），アジの開き（2枚），味噌汁（アサリ），豚角煮，ほうれん草のおひたし
10／17（土）	時〜　時	時　分頃	14時30分頃 おにぎり1個，豚の生姜焼き，スパゲッティサラダ（少量）	21時10分頃 ご飯（半膳），味噌汁（アサリ），サンマ1尾，豚の生姜焼き
10／18（日）	時〜　時	時　分頃	12時00分頃 おにぎり1個，棒々鶏，サバの塩焼き，チャーシュー，しその梅巻煮，お新香	19時00分頃 寿司4貫，刺身，木の葉焼き，鍋（小），茶碗蒸し，豚角煮，サバの塩焼き，味噌汁

フィードバックコメント　パーフェクトです！ とても良い内容です。主食の摂り方，おかずの内容，よく理解されているなと感心してしまいます。まだ血糖値は高めですが，このように続けていけばかなり良い結果が出ると思います。引き続き頑張って下さい。

症例25-9回目指導

提出日 平成 ○年 11月3日　　　　　　　　　　　氏名 S. Y.

※週初めに血糖値を測定し右欄に記入したら、担当者に提出して下さい。

週初め出勤時の血糖値	158
測定した日時	10/27（火）12時00分頃
測定前最後に飲食した時間	21時00分頃
最後に飲食したもの	10/26の夜食

「ロカボ」の基準：1食当たり20〜40g、
1日当たり70〜130gをめどに糖質を摂ります。
食品に糖質の記載がない場合は、
炭水化物の量で換算します。

食事記録表

日付	勤務時間	食事時間・内容	食事時間・内容	食事時間・内容
10/26（月）	時〜時	時　分頃	14時30分頃 トースト2枚、ハムエッグ、生野菜、コンソメスープ	20時30分頃 ご飯（半膳）、生卵、すき焼き（豚肉、豆腐、白滝、白菜、春菊、ねぎ）
10/27（火）	12時〜7時	時　分頃	16時00分頃 焼きそば、コンソメスープ	1時30分頃 肉まん2個、春雨スープ
10/28（水）	時〜時	時　分頃	15時30分頃 トースト2枚、ウインナー、卵焼き、生野菜	21時00分頃 ご飯（半膳）、味噌汁、サンマ1尾、お新香、豚角煮
10/29（木）	時〜時	時　分頃	15時30分頃 ふすまパン4個、スパム、生野菜	20時30分頃 ラーメン、筑前煮
10/30（金）	12時〜7時	時　分頃	16時00分頃 ご飯（半膳）、豚生姜焼き、生野菜	1時00分頃 肉まん1個、おでん（がんもどき1、卵1、大根1）
10/31（土）	時〜時	時　分頃	15時00分頃 トースト2枚、ハムエッグ、生野菜、チキンスープ	21時00分頃 カレーライス（ご飯少なめ）、生野菜
11/1（日）	12時〜6時	時　分頃	15時30分頃 ミニ親子丼、味噌汁（油揚げ）	1時30分頃 ふすまパン2個、おでん（大根2、がんもどき2、スジ2）

フィードバックコメント　良い内容ですね！ 特に夕食が完璧です。ランチもおかずの内容がとても良いですし、丼をミニにしているのも良いですね。トーストは何枚切でしょうか？ 8枚切だと1枚の糖質量が20g、6枚切だと27gです。6枚切1枚にしてチーズや卵をのせたり、バターをたっぷりパンにぬるとか、もしくは8枚切にチーズ・卵・バターをのせ、さらにふすまパンを1つ加えて（もちろんハムエッグ、ウインナー、生野菜などのサイドメニューをそのまま一緒に食べて）、1食を40gの糖質量に抑えてみるのはどうですか？

実践編

7章 ● 糖質制限指導事例

症例25-10回目指導

提出日　平成 ○年 11月 9日　　　　　　　　　　　　　　　　氏名 S. Y.

※週初めに血糖値を測定し右欄に記入したら,
　担当者に提出して下さい。

「ロカボ」の基準：1食当たり20〜40g,
1日当たり70〜130gをめどに糖質を摂ります。
食品に糖質の記載がない場合は,
炭水化物の量で換算します。

週初め出勤時の血糖値	148
測定した日時	11/3(火)12時00分頃
測定前最後に飲食した時間	21時00分頃
最後に飲食したもの	11/2の夜食

食事記録表

日付	勤務時間	食事時間・内容	食事時間・内容	食事時間・内容
11/2(月)	時〜 時	時　分頃	15時30分頃 トースト2枚, オムレツ, チキンスープ	21時00分頃 ご飯(半膳), お新香, サンマ1尾, 味噌汁(シジミ), 豚角煮
11/3(火)	12時〜7時	時　分頃	15時30分頃 ミニスタミナ丼, コンソメスープ	1時00分頃 ピザまん2個, おでん(がんもどき1, 大根1)
11/4(水)	時〜 時	時　分頃	15時00分頃 ふすまパン4個, 豚の生姜焼き3枚, 生野菜, 味噌汁(アサリ)	21時00分頃 ご飯(半膳), ポークソテー2枚, 生野菜, 味噌汁(アサリ)
11/5(木)	時〜 時	時　分頃	14時00分頃 ふすまパン2個, トースト1枚, 目玉焼き, ウインナー, 生野菜	20時00分頃 ご飯(半膳), アジの開き2枚, ほうれん草のごま和え, 味噌汁(豆腐), お新香
11/6(金)	時〜 時	時　分頃	14時30分頃 スパゲッティミートソース(少なめ), コンソメスープ, トースト1枚	21時00分頃 ご飯(半膳), 味噌汁(アサリ), 豚味噌炒め, お新香, 冷や奴(半丁)
11/7(土)	12時〜7時	時　分頃	16時00分頃 ミニ親子丼, コンソメスープ, 筑前煮	1時30分頃 3色そぼろのお弁当(小), 豚汁
11/8(日)	時〜 時	時　分頃	13時30分頃 焼きそば, 卵スープ	20時00分頃 ご飯(小), きくらげと卵と肉炒め, スープ, アイスコーヒー, ホットコーヒー(砂糖なし)

フィードバックコメント　とても良い内容です。丼をミニにしたり, ふすまパンを取り入れたり…。言うことなしです！ 随時血糖値も148と, ほぼ正常(140未満)が見えてきましたね！ このままのペースでいきましょう。

115

実践編

8章 糖質制限患者指導Q&A

Q1 「緩やかな」糖質制限食はどんな三大栄養素比率になるのか?

A
■「緩やかな糖質制限食とは1食20～40gの糖質量にすることです」と一般の先生方に説明すると,「それは三大栄養素比率(PFCバランス)でどのようになるのか」というお問い合わせを受けることがしばしばあります。

■ 私たちは,「糖質のエネルギー比率を出すには,食事全体のエネルギー量を把握する必要が生じ,それができる人は存在しない」と考えているので,PFCバランスで説明したいとはあまり思っていません。参考までに,北里研究所病院(以下,当院)で糖質制限食指導を受けた患者さんのPFCバランスは25：45：30です。すなわち,糖質のエネルギー比率は30%ということになります。

Q2 糖質制限食ではエネルギーオーバーにならないか?

A
■「"糖質だけ制限して,あとは満腹になるまで食べて下さい"と指導しています」と一般の先生方に説明すると,「それではエネルギーオーバーになるのではないか」とのご質問もよく頂きます。

■ 私たちの経験でも,これまでの糖質制限食に関する臨床研究でも,満腹になるまで食べてよいという指導をしてもなお,患者さんの摂取エネルギーは少なくなります。しかも,肥満者だけが減量できて,非肥満者にるい痩はもたらしません。ある意味,糖質制限食指導とは,"カロリー計算を求めないエネルギー適正化指導法"と考えることも可能かもしれません。

Q3 糖質制限食では脂質を増やすのか,タンパク質を増やすのか?

A
■「糖質だけ制限して,あとは満腹になるまで食べるとして,増やすべきなのは脂質ですか? タンパク質ですか?」という質問を受けることがあります。

■ スウェーデンでAnnika Dahlqvist先生やAndreas Eenfeldt先生を中心にして広まっている糖質制限食は低糖質・高脂質食です。米国でもDuke大学のEric C. Westman

先生は低糖質・高脂質食が良いとしています。一方，ニューヨーク州立大学のRichard D. Feinman先生やボストン小児病院のCara B. Ebbeling先生は低糖質・高タンパク質食が良いとしています。

- 高脂質食を推奨する立場 ➡ 高脂質食ならば何も問題は生じないが，高タンパク質食では腎機能に悪影響が生じる懸念がある
- 高タンパク質食を推奨する立場 ➡ 高タンパク質食ではエネルギー消費が高まり，減量効果を維持しやすい

■ 上記の意見がありますが，私たちは患者さんに対して特に高脂質も高タンパク質も指示していません。普通，脂質を油だけで摂取している人はほとんどいません。肉や魚では，通常はタンパク質に脂が乗っているという形で摂取されるはずです。肉や魚を買うとき，脂の乗っている比率だけで選択する人はほとんどいないでしょう。普通は，タイムサービスで安くなっているとか，今日はおいしい食材を選ぼうとか，そういう理由で選択されているはずです。したがって，患者さんがやりやすいように高脂質でも高タンパク質でもどちらでもよいと考えています。

Q4 北里研究所病院における糖質制限とは？

■ 当院の糖質制限では，1食当たりの糖質量20〜40g・1日量70〜130gを目安とした指導を行っています。アトキンスダイエット[*1]に代表されるタイトなスーパー糖質制限ではありません。

> *1 解説：初期に，糖質の1日量20gというレベルの極端な糖質制限をする減量法。これに近いレベルの糖質制限食が「スーパー糖質制限食」あるいは「糖質ゼロ食」という名称でわが国でも一部の医師により推奨されている

■ 糖質制限を希望される患者さんには，必要であれば採血・検尿検査などを行い，現在の糖尿病コントロール，合併症の状況を評価し，糖質制限食導入の可否を外来担当の糖尿病専門医が決定します（5章参照）。糖質制限の説明を含めた診察のあと，管理栄養士による食事療法指導を行い，自宅にて糖質制限食に取り組んで頂きます。

■ 基本的には糖質制限食を生活に取り入れて頂けますが，糖質制限食も困難である場合や，患者さん本人の希望がある場合に，糖質制限食を学ぶための糖尿病教育入院も実施しています。

■ 他院通院中で糖質制限食を希望される場合には，今までの治療の経過がわかる診療情報提供書の提出をお願いしています。特に，現在の薬物治療状況，検査データ，合併症の

評価状況は必須です。
- どうしても診療情報提供書を手配できない場合は，今までの治療経過と現在の状況について，患者さんもしくはご家族に書き出してもらいます。
- 入院時の対応は，基本的には当院の2週間糖尿病教育入院プログラムに則り，食事指導と併せて，入院中の食事を糖質制限食とします。
- 糖質制限食の適応に関しては，糖尿病合併症により制限を設けています。合併症の進行状況（腎症3期以降など）によっては，糖質制限食ではなくエネルギー制限食となりうることを了承して頂きます（5章参照）。

Q5 病院食への導入方法は？

- 病院食に糖質制限食を導入する際の方法として，次の2つが挙げられます。

> ①簡単に導入するには，主食（ご飯）を抜いて，おかずを2倍量にすると，糖質量が1食20～40gの範囲に収まる
> ②主食のご飯を70g（糖質量26g）に設定して，そのほかのおかずから残りの糖質量を摂取する

- ②の方法では，主食をある程度食べたいという希望を叶えることができ，食品の数が多くなることにより食物繊維を多く摂取し，減塩をしやすくなります。
- 当院では，②の方法により関東信越厚生局東京事務所からアドバイスを頂き，現在，病院食として実施しています。
- 実例10日分の献立は巻末表「糖質制限食の献立例」をご参照下さい。

Q6 糖質制限の指導が困難な症例とは？

- もともと糖質の多い食品（ご飯，いも類，果物など）が好きで，過剰摂取により糖尿病を発症した患者さんの場合は，糖質制限が精神的に難しいことがあります。
- 「糖質を摂らないと精神的安定を得られない」などと訴え，糖質を摂れないストレスを言い訳にした離脱症例の経験があります。
- このような患者さんへの食生活指導・行動変容支援は困難なものですが，糖質を少なくしたパンや麺類，スイーツの代替品を提案することで血糖が改善することもあります。

Q7 シックデイ時の対処方法は？

A ■ シックデイ[*2]時の対応は，食事療法がエネルギー制限であっても糖質制限であっても基本的に変わりません。対処方法を**表1**に示します。

> [*2] 解説：シックデイ（sick day）とは"病気の日"を意味する。広く解釈すると，熱傷やけが，手術などあらゆる状況が当てはまるが，ここでは風邪を引いて熱が出たり，下痢をしたりといった食事が摂れない状態を指す

■ 食事療法のみの場合には**表1**の基本的対応を守り，症状が軽い場合は様子をみます。食欲がなくても，水分と電解質をしっかり摂って様子をみれば，そう大事には至りません。

■ 消化の良いものでないと食べられないときは，レトルトのお粥（1パック糖質約20 g）に温泉卵や豆腐，野菜スープを追加するとよいでしょう。

■ インスリン療法患者さんにおいて，食事を摂ることができず下痢や嘔吐がある場合，普段のインスリン量では一般的に低血糖を起こすことがあります。

■ しかし，食事をまったく摂れないという理由でインスリン注射を中断するのは危険です。特に1型糖尿病患者さんがインスリンを中断すると，短時間でケトアシドーシスになってしまうため，シックデイ時は血糖測定の回数を増やして現状をチェックし，病状に合わせ

表1 ▶ シックデイ時の対処方法（糖質制限の場合も基本的に変わらない）

①暖かく安静にする	・どんな病気になった場合でも有効な基本的対応である ・特に感染症にかかった際には，安静にすることで体力の消耗を防ぐだけでなく，抵抗力も高まるので悪化を抑えることにつながる ・下痢などで飲食ができない場合も，回復を早める
②水分をこまめに補給する	・シックデイ時は食欲が落ちて食べられなくなることが多い ・発熱や下痢，嘔吐があると脱水にもなりやすいため，意識して水分・電解質の補給を心がける ・食事の内容は普段より消化・吸収の良い食材や，調理方法の工夫が大切である ・血糖値や体温が少々高くても飲食できる間は，病状は悪化しにくい
③血糖測定器を持っている場合はこまめにチェックする	・普段より検査の回数や項目を増やし，病状を把握することが大切である ・血糖値に応じてインスリンの増減を検討したり，尿ケトン体や体温，食事量，内容，自覚症状を把握したりすることで，医師への相談のタイミングを計ることができる
④主治医に連絡を取って早めに受診する	・非常に軽い症状の風邪や胃炎などの場合は安静にし，市販の薬を飲むなどして1日程度様子をみることは問題ない ・次のような場合には，すぐに主治医へ連絡を取って早めに受診するよう指示する 　・まったく食事が摂れない 　・下痢や嘔吐が続く 　・腹痛が強い 　・38℃以上の発熱が続く 　・改善の気配がない 　・尿ケトン体が強陽性 　・高い血糖値が続く 　・尿糖の強陽性が続く 　・インスリン注射量や経口薬の調整が自分で判断できない

てインスリン量を加減する必要があります．インスリン量は病状や個人差を考慮します．
- 使用するインスリン製剤によっては，調整が必要なもの（追加インスリン）と必要でないもの（基礎インスリン）とにわかれることを確認し，患者個々のシックデイ・ルールを決めておくことが大切です．
- 一般的に超速効型インスリン（追加インスリン）の場合，実際に摂った食事量を見ながらインスリンの量を調整して食後に注射することが推奨されます．
- 経口血糖降下薬を服用中でも，どのくらい食事量を摂れるかによって推奨される服用量が変わってきます．
  - SU薬や速効型インスリン分泌促進薬（グリニド系薬）：食事量が半分の場合は服用量も半分，食事量が半分以下の場合は服用中止
  - インスリン抵抗性改善薬，ビグアナイド薬，ビグアナイド薬配合剤，DPP-4阻害薬，αグルコシダーゼ阻害薬，SGLT2阻害薬：食事量が十分に摂れない場合は服用中止

Q8 糖質制限時の運動療法は？

- 糖質制限だからといって特別に配慮すべきことはなく，一般的な糖尿病治療における扱いと同様にします．
- 糖質制限食などの食事療法や運動療法のみで治療をしている場合は，運動による低血糖はほぼ心配する必要はありません．しかし，何らかの薬物療法を行っている場合は配慮が必要です（表2）．
- 運動をする際には，運動を実施する時間帯や食事の摂取状況，薬物管理状況をしっかり把握し，安全に行えるよう配慮することが求められます．

表2 血糖降下薬と低血糖のリスク

血糖降下薬	低血糖リスク
インスリン製剤，SU薬	高い
インクレチン，その他の経口薬	単剤使用の場合，基本的に低血糖は起こさない
併用	高い

Q9 定時に生じる低血糖への対処方法は？

- 薬物療法中の患者さんにおいて，同じ時間帯に低血糖を頻回に起こす場合は薬物調整が必要なサインととらえ，対処が必要です．
- 特にインスリン製剤使用中の場合は，低血糖を起こす前のタイミングでインスリン過剰

効果が考えられるため，注射量を減らすなどの対処が求められます。SU薬，速効型インスリン分泌促進薬においても同様のことが言えます。
- 薬物調整以外の対処方法としては，夜間ないし朝食前の低血糖予防のため，眠前に血糖を緩やかに上昇させる食材を補食することが挙げられます。
- 補食には糖質の多い食材ではなく，レーズンにチーズなど脂質やタンパク質を含む食材を合わせて摂取するようにします。
- いずれも同じ時間帯の低血糖が3回以上続くときは，担当医に相談するように説明しておきます。

Q10 1食40gの糖質とはどのくらいか？

A
- おかずに糖質が入っていない場合は，主食のご飯（100g）か市販のサンドイッチ（1パック）が食べられます。
- いも類，春雨，衣のついたおかずが入っている場合は，主食をご飯50gあるいは食パン（8枚切）1枚にしましょう。

Q11 内臓脂肪を減らすにはどうしたらよいか？

A
- 体脂肪が減少するときは，皮下脂肪より内臓脂肪が先に代謝されるので，糖質制限を継続することで内臓脂肪も減少します。

Q12 HbA1cや血糖値が正常に戻ったら，糖質を摂ってもよいか？

A
- 数値が正常に戻っても，糖質中心の食生活にしてしまうとまた悪化するため，糖質制限食もしくはエネルギー制限食によりコントロールを継続していくことが大切です。
- つまり，検査値が正常になっても，糖質制限を継続する必要があります。

Q13 糖質は太る原因となるのか？

- インスリンは脂肪細胞のエネルギーの取り込み口を開き，脂肪蓄積の原因となりえます。
- 糖質はインスリン分泌の最大の引き金ですので，太りやすくさせると言えます。

Q14 肉が好きな場合，タンパク質として肉ばかり食べてもよいか？

A ■ かまいません。

Q15 食べる時間はいつでもよいか？

A ■ 規則正しい食事は大切ですが，好きこのんで不規則な生活をしている人は少ないでしょう。糖質量（1日70～130g・1食20～40g）を守れば，時間を気にしなくてもよいと説明します。

Q16 いくら食べてもよいか？

A ■ 当院では，糖質が少ない食品・食事を中心に糖質量（1日70～130g・1食20～40g）を守れば，満腹になるまで食べてかまいませんと答えています。

Q17 食事の回数は3回でないとならないのか？

A ■ 3回でなくてもよいですが，2回や1回にしてしまうとどうしても1回当たりの量を食べすぎてしまい，1食の糖質量をオーバーしてしまう可能性があるので気をつけるよう指導します。

Q18 便秘になってしまうが，どうしたらよいか？

A ■ 水分や食物繊維を多く含む野菜，海藻，きのこ，こんにゃく類を毎食必ず摂るよう指導します。それだけでは不足するという方は，スープ用寒天などの寒天商品を利用するとよいでしょう。また，オリーブ油をふんだんに使うように指導したあとで便秘が解消されたという患者さんもいます。

Q19 LDL-コレステロールが高い場合はどうしたらよいか？

A ■ 摂取する脂肪の質はn-3系脂肪酸[*3]や一価不飽和脂肪酸[*4]を主体にすることや，トランス脂肪酸や酸化した油は避けることを勧めます。

＊3 ☞解説：不飽和脂肪酸のうち脂肪酸のメチル基側から数えて3番目に二重結合があるもの。魚に多く含まれ，代表例としてEPA，DHAがある

＊4 ☞解説：不飽和脂肪酸のうち二重結合が1個のもの。n–9構造を持ったオレイン酸が有名で，オリーブ油に多く含まれる

- ただし，食事介入によってLDL–コレステロールをコントロールすることはきわめて困難なので，上記の指導をしてもなおLDL–コレステロールが高い場合には，早めにスタチン剤を投与するようにします。

Q20 「糖質が少ない」と勘違いしやすい食材は何か？

A
- よく勘違いしやすい食材として，野菜ジュース，豆乳飲料，そば，玄米や雑穀パン，ドライフルーツ入りの大豆健康食品（SOYJOY®など），大豆以外の豆類，魚肉ソーセージや練り製品，低脂肪牛乳，春雨，こんにゃくゼリー，ポタージュ系のインスタントスープなどがあります。中華料理のあん（片栗粉）にも注意が必要です。
- 主な食品の糖質量を**巻末表「食品の糖質量一覧」**に示しますので参考にして下さい。

参考文献

1) リチャード・K・バーンスタイン，著，柴田寿彦，訳：バーンスタイン医師の糖尿病の解決―正常血糖値を得るための完全ガイド. 第4版. 日本語版. 金芳堂, 2016.
2) 日本糖尿病学会，編：糖尿病療養指導の手びき. 改訂第5版. 南江堂, 2015.
3) 日本糖尿病療養指導士認定機構，編：糖尿病療養指導ガイドブック2021. メディカルレビュー社, 2021.
4) 厚生労働省「日本人の食事摂取基準」策定検討会報告書：日本人の食事摂取基準（2020年版）. 2019. 令和元年12月.
https://www.mhlw.go.jp/content/10904750/000586553.pdf (2021年12月22日閲覧)
5) 文部科学省科学技術・学術審議会資源調査分科会：日本食品標準成分表2020年版（八訂）. 2020.
https://www.mext.go.jp/content/20201225-mxt_kagsei-mext_01110_011.pdf (2021年12月22日閲覧)

山田　悟，塚本洋子，真田真理子，畑　妃咲

糖質制限食の献立例

- 『日本食品標準成分表 2020 年版（八訂）』をもとに，「利用可能炭水化物（単糖当量）」を糖質量として記載した。「利用可能炭水化物（単糖当量）」の記載がない場合には，「利用可能炭水化物（差引き法）」の数値を糖質量として記載した。

- 単糖当量を差引き法に優先して使用するのは，単糖当量が直接的な分析値の合算であるのに対し，差引き法では食物繊維の測定法（・定義）による差異の影響を受けるからである。

- また，「糖質」という四訂日本食品標準成分表において用いられた用語は，「利用可能炭水化物（差引き法）」（＝炭水化物－食物繊維）の概念に近いが，四訂成分表の糖質は，炭水化物から食物繊維，アルコール，タンニン，カフェイン，酢酸等を差し引いて求めていたため，差引き法による利用可能炭水化物と必ずしも同一とは言えない。

- しかし，「糖質」という用語がきわめて一般的に使用されていることに鑑み，あえて「利用可能炭水化物」ではなく，「糖質」という用語で重量を表記した。

資 料

糖質制限食1日目

	料理名	食品名	正味重量(g)	エネルギー(kcal)	タンパク質(g)	脂質(g)	炭水化物(g)	食物繊維:総量(g)	糖質(g)	食塩相当量(g)
朝食	食パン（8枚切1枚）		53	169	4.0	8.5	20.9	1.9	21.7	0.5
		角型食パン	45	112	4.0	1.8	20.9	1.9	21.7	0.5
		無発酵バター 食塩不使用バター	8	58	0.0	6.7	0.0	0.0	0.0	0.0
	ソーセージのスープ煮		212	173	7.4	12.7	11.8	3.7	8.2	1.2
		ぶた ソーセージ類 ウインナーソーセージ	40	128	4.6	12.2	1.3	0.0	1.4	0.8
		たまねぎ りん茎,生	30	10	0.3	0.0	2.5	0.5	2.1	0.0
		エリンギ 生	40	12	1.1	0.2	2.4	1.4	1.2	0.0
		キャベツ 結球葉,生	100	21	1.3	0.2	5.2	1.8	3.5	0.0
		固形コンソメ	0.5	1	0.0	0.0	0.2	0.0	–	0.2
		食塩	0.2	0	0.0	0.0	0.0	0.0	–	0.2
		こしょう 白,粉	0.05	0	0.0	0.0	0.0	–	0.0	0.0
		パセリ 葉,生	1	0	0.0	0.0	0.1	0.1	0.0	0.0
	牛乳		200	122	6.6	7.6	9.6	0.0	9.4	0.2
		普通牛乳	200	122	6.6	7.6	9.6	0.0	9.4	0.2
	朝食合計		465	464	18.0	28.8	42.3	5.6	39.3	1.9
昼食	ご飯（70g）		70	109	1.8	0.2	26.0	1.1	26.7	0.0
		こめ 水稲めし 精白米 うるち米	70	109	1.8	0.2	26.0	1.1	26.7	0.0
	豚もも肉のソテー		207	229	19.8	15.3	5.5	1.7	3.6	0.6
		豚肉 大型種 もも 脂身付き 生	90	154	18.5	9.2	0.2	0.0	0.2	0.1
		食塩	0.5	0	0.0	0.0	0.0	0.0	–	0.5
		こしょう 白,粉	0.05	0	0.0	0.0	0.0	–	0.0	0.0
		調合油	6	53	0.0	6.0	0.0	0.0	–	0.0
		キャベツ 結球葉,生	50	11	0.7	0.1	2.6	0.9	1.8	0.0
		クレソン 茎葉,生	10	1	0.2	0.0	0.3	0.3	0.1	0.0
		トマト 果実,生	50	10	0.4	0.1	2.4	0.5	1.6	0.0
	タラのチーズ焼き		161	185	21.4	10.2	3.5	0.7	2.6	1.0
		まだら 生	100	72	17.6	0.2	0.1	0.0	0.1	0.3
		食塩	0.3	0	0.0	0.0	0.0	0.0	–	0.3
		こしょう 白,粉	0.05	0	0.0	0.0	0.0	–	0.0	0.0
		プロセスチーズ	15	47	3.4	3.9	0.2	0.0	0.2	0.4
		たまねぎ りん茎,生	30	10	0.3	0.0	2.5	0.5	2.1	0.0
		青ピーマン 果実,生	5	1	0.0	0.0	0.3	0.1	0.1	0.0
		赤ピーマン 果実,生	5	1	0.1	0.0	0.4	0.1	0.3	0.0
		調合油	6	53	0.0	6.0	0.0	0.0	–	0.0
	きゅうりのごま酢あえ		164	60	3.4	2.8	6.7	2.5	3.8	0.5
		きゅうり 果実,生	100	13	1.0	0.1	3.0	1.1	2.0	0.0
		食塩	0.1	0	0.0	0.0	0.0	0.0	–	0.1
		ブラックマッペもやし 生	50	9	1.1	Tr	1.4	0.8	0.7	Tr
		ごま いり	5	30	1.0	2.7	0.9	0.6	0.3	0.0
		穀物酢	5	2	0.0	0.0	0.1	0.0	–	0.0
		こいくちしょうゆ	3	2	0.2	0.0	0.2	Tr	0.0	0.4
		車糖 上白糖	1	4	0.0	0.0	1.0	0.0	1.0	0.0
	昼食合計		602	583	46.4	28.5	41.7	6.0	36.7	2.1
夕食	ご飯（70g）		70	109	1.8	0.2	26.0	1.1	26.7	0.0
		こめ 水稲めし 精白米 うるち米	70	109	1.8	0.2	26.0	1.1	26.7	0.0
	鶏肉の薬味ソースかけ		119	314	14.1	27.4	3.6	0.4	2.5	0.9
		若鶏肉 もも 皮つき,生	80	152	13.3	11.4	0.0	0.0	0.0	0.2
		食塩	0.2	0	0.0	0.0	0.0	0.0	–	0.2
		小麦粉 薄力粉 1等	3	10	0.2	0.0	2.3	0.1	2.4	0.0
		調合油	6	53	0.0	6.0	0.0	0.0	–	0.0
		しょうが 根茎,皮なし 生	1	0	0.0	0.0	0.1	0.0	0.0	0.0
		にんにく りん茎,生	1	1	0.1	0.0	0.3	0.1	0.0	Tr
		こねぎ 葉,生	9	2	0.2	0.0	0.5	0.2	–	0.0
		こいくちしょうゆ	4	3	0.3	0.0	0.3	Tr	0.1	0.6
		穀物酢	5	2	0.0	0.0	0.1	0.0	–	0.0
		ごま油	10	89	0.0	10.0	0.0	0.0	–	0.0
		こしょう 白,粉	0.05	0	0.0	0.0	0.0	–	0.0	0.0
	高野豆腐の煮物		164	30	5.4	3.1	4.6	1.3	2.4	0.9
		凍り豆腐 乾	9	9	4.5	3.1	0.4	0.2	0.0	0.1
		さやえんどう 若さや 生	6	2	0.2	0.0	0.5	0.2	0.3	0.0
		板こんにゃく 精粉こんにゃく	40	2	0.0	Tr	0.9	0.9	–	0.0
		かつお・昆布だし 本枯れ節・昆布だし	100	2	0.3	0.0	0.4	Tr	–	0.1
		こいくちしょうゆ	4	3	0.3	0.0	0.3	Tr	0.1	0.6
		合成清酒	3	3	0.0	0.0	0.2	–	0.0	0.0
		車糖 上白糖	2	8	0.0	0.0	2.0	0.0	2.1	0.0
		食塩	0.1	0	0.0	0.0	0.0	0.0	–	0.1
	白いんげん豆のサラダ		92	124	3.5	8.5	10.5	5.4	7.0	0.3
		いんげんまめ 全粒,ゆで	35	44	3.3	0.4	8.6	4.8	6.1	0.0
		セロリー 葉柄,生	30	4	0.1	0.0	1.1	0.4	0.4	0.0
		トマト 果実,生	15	3	0.1	0.0	0.7	0.1	0.5	0.0
		パセリ 葉,生	1	0	0.0	0.0	0.1	0.1	0.0	0.0
		オリーブ油	8	72	0.0	8.0	0.0	0.0	–	0.0
		穀物酢	3	1	0.0	0.0	0.1	0.0	–	0.0
		食塩	0.3	0	0.0	0.0	0.0	0.0	–	0.3
		こしょう 黒,粉	0.05	0	0.0	0.0	0.0	–	0.0	0.0
	夕食合計		445	577	24.8	39.2	44.7	8.2	38.6	2.1
	1日合計		1512	1623	89.2	96.5	128.5	19.5	114.6	6.2

Tr：微量, －：未測定

糖質制限食 2 日目

	料理名	食品名	正味重量(g)	エネルギー(kcal)	タンパク質(g)	脂質(g)	炭水化物(g)	食物繊維:総量(g)	糖質(g)	食塩相当量(g)
朝食	食パン（8枚切1枚）		53	169	4.0	8.5	20.9	1.9	21.7	0.5
		角型食パン	45	112	4.0	1.8	20.9	1.9	21.7	0.5
		無発酵バター　食塩不使用バター	8	58	0.0	6.6	0.0	0.0	0.0	0.0
	鶏肉と花野菜のシチュー		301	326	21.7	22.8	12.9	4.3	7.5	1.2
		若鶏肉　もも　皮なし，生	80	152	13.3	11.4	0.0	0.0	0.0	0.2
		ブロッコリー　花序，生	50	19	2.7	0.3	3.3	2.6	1.2	Tr
		カリフラワー　花序，生	50	14	1.5	0.1	2.6	1.5	1.6	0.0
		食塩	0.3	0	0.0	0.0	0.0	0.0	–	0.3
		こしょう　白，粉	0.05	0	0.0	0.0	0.0	–	0.0	0.0
		調合油	4	35	0.0	4.0	0.0	0.0	–	0.0
		固形コンソメ	0.7	2	0.0	0.0	0.3	0.0	–	0.3
		無調整豆乳	105	46	3.8	2.1	3.3	0.2	1.1	0.0
		食塩	0.3	0	0.0	0.0	0.0	0.0	–	0.3
		小麦粉　薄力粉　1等	4.5	16	0.4	0.1	3.4	0.1	3.6	0.0
		無発酵バター　有塩バター	6	42	0.0	4.9	0.0	0.0	0.0	0.1
	牛乳		200	122	6.6	7.6	9.6	0.0	9.4	0.2
		普通牛乳	200	122	6.6	7.6	9.6	0.0	9.4	0.2
	朝食合計		554	617	32.3	38.9	43.4	6.2	38.7	1.9
昼食	ご飯（70g）		70	109	1.8	0.2	26.0	1.1	26.7	0.0
		こめ　水稲めし　精白米　うるち米	70	109	1.8	0.2	26.0	1.1	26.7	0.0
	青椒肉絲		188	145	18.3	19.9	9.0	2.5	5.0	1.0
		乳用肥育牛肉　もも　脂身つき，生	80	16	15.6	10.6	0.3	0.0	0.3	0.1
		合成清酒	2.5	3	0.0	0.0	0.1	–	–	0.0
		こいくちしょうゆ	2	2	0.1	0.0	0.2	Tr	0.0	0.3
		じゃがいもでん粉	1.5	5	0.0	0.0	1.2	0.0	1.3	0.0
		青ピーマン　果実，生	30	6	0.3	0.1	1.5	0.7	0.7	0.0
		たけのこ　若茎，ゆで	50	16	1.8	0.1	2.8	1.7	0.8	0.0
		にんにく　りん茎，生	2	3	0.1	0.0	0.6	0.1	0.0	Tr
		調合油	6	53	0.0	6.0	0.0	0.0	–	0.0
		米みそ　淡色辛みそ	1.5	3	0.2	0.1	0.3	0.1	0.2	0.2
		こいくちしょうゆ	3	2	0.2	0.0	0.2	Tr	0.0	0.4
		合成清酒	5	5	0.0	0.0	0.3	–	–	0.0
		車糖　上白糖	1.5	6	0.0	0.0	1.5	0.0	1.6	0.0
		ごま油	3	27	0.0	3.0	0.0	0.0	–	0.0
	豆腐チャンプルー		238	217	18.0	15.0	5.1	2.5	2.7	0.8
		木綿豆腐	150	110	10.5	7.3	2.3	1.7	1.2	Tr
		しばえび　生	20	16	3.7	0.1	0.0	0.0	0.0	0.1
		にら　葉，生	10	2	0.2	0.0	0.4	0.3	0.2	0.0
		根深ねぎ　葉，軟白，生	15	5	0.2	0.0	1.2	0.4	0.5	0.0
		にんじん　根，皮なし，生	10	3	0.1	0.0	0.9	0.2	0.6	0.0
		鶏卵類　全卵　生	25	36	3.1	2.6	0.1	0.0	0.1	0.1
		調合油	5	44	0.0	5.0	0.0	0.0	–	0.0
		こいくちしょうゆ	3	2	0.2	0.0	0.2	Tr	0.0	0.4
		食塩	0.1	0	0.0	0.0	0.0	0.0	–	0.1
		こしょう　白，粉	0.05	0	0.0	0.0	0.0	–	0.0	0.0
	わかめごま風味サラダ		82	70	1.1	6.4	3.0	1.8	0.7	0.4
		サニーレタス　葉，生	50	8	0.6	0.1	1.6	1.0	0.3	0.0
		湯通し塩蔵わかめ　塩抜き	15	2	0.2	0.0	0.5	0.5	0.0	0.2
		根深ねぎ　葉，軟白，生	10	4	0.1	0.0	0.8	0.3	0.4	0.0
		食塩	0.2	0	0.0	0.0	0.0	0.0	–	0.2
		ごま油	6	53	0.0	6.0	0.0	0.0	–	0.0
		こしょう　黒，粉	0.05	0	0.0	0.0	0.0	–	0.0	0.0
		ごま　いり	0.5	3	0.1	0.3	0.1	0.1	0.0	0.0
	昼食合計		578	541	39.1	41.5	43.1	7.9	35.1	2.2
夕食	ご飯（70g）		70	109	1.8	0.2	26.0	1.1	26.7	0.0
		こめ　水稲めし　精白米　うるち米	70	109	1.8	0.2	26.0	1.1	26.7	0.0
	カジキのソテー		172	232	20.6	14.5	6.3	0.9	4.9	1.2
		めかじき　生	100	139	19.2	7.6	0.1	0.0	0.1	0.2
		食塩	0.5	0	0.0	0.0	0.0	0.0	–	0.5
		こしょう　白，粉	0.05	0	0.0	0.0	0.0	–	0.0	0.0
		小麦粉　薄力粉　1等	3	10	0.2	0.0	2.3	0.1	2.4	0.0
		オリーブ油	6	54	0.0	6.0	0.0	0.0	–	0.0
		からし　粒入りマスタード	5	11	0.4	0.8	0.6	–	0.3	0.2
		こいくちしょうゆ	2	2	0.2	0.0	0.2	Tr	0.0	0.3
		ぶどう酒　白	5	4	0.0	Tr	0.1	–	0.1	0.0
		キャベツ　結球葉，生	30	6	0.4	0.1	1.6	0.5	1.1	0.0
		ミニトマト　果実，生	20	6	0.2	0.0	1.4	0.3	0.9	0.0
	豚肉と大豆のトマト煮		141	227	18.3	14.6	9.4	5.9	1.8	0.8
		豚肉　大型種　ロース　脂身つき，生	50	124	9.7	9.6	0.1	0.0	0.1	0.1
		蒸し大豆　黄大豆	50	93	8.3	4.9	6.9	5.3	1.6	0.3
		にんじん　根，皮なし，生	10	3	0.1	0.0	0.9	0.2	0.6	0.0
		トマト　加工品　缶詰　ホール　食塩無添加	30	6	0.3	0.1	1.3	0.4	1.1	Tr
		固形コンソメ	0.5	1	0.0	0.0	0.2	0.0	–	0.2
		食塩	0.2	0	0.0	0.0	0.0	0.0	–	0.2
	ごぼうとしめじのサラダ		104	95	2.0	6.3	9.9	4.3	1.1	0.3
		ごぼう　根，生	50	29	0.9	0.1	7.7	2.9	0.6	0.0
		ぶなしめじ　生	40	9	1.1	0.2	1.9	1.4	0.6	0.0
		穀物酢	7	3	0.0	0.0	0.2	0.0	–	0.0
		オリーブ油	6	54	0.0	6.0	0.0	0.0	–	0.0
		こしょう　黒，粉	0.05	0	0.0	0.0	0.0	–	0.0	0.0
		食塩	0.3	0	0.0	0.0	0.0	0.0	–	0.3
		パセリ　葉，生	0.5	0	0.0	0.0	0.0	0.0	0.0	0.0
	夕食合計		487	663	42.7	35.6	51.5	12.2	34.5	2.3
	1日合計		1618	1821	114.1	116.1	138.1	26.3	108.2	6.4

Tr：微量，－：未測定

資 料

糖質制限食3日目

	料理名	食品名	正味重量(g)	エネルギー(kcal)	タンパク質(g)	脂質(g)	炭水化物(g)	食物繊維:総量(g)	糖質(g)	食塩相当量(g)
朝食	食パン(8枚切1枚)		53	169	4.0	8.4	20.9	1.9	21.7	0.5
		角型食パン	45	112	4.0	1.8	20.9	1.9	21.7	0.5
		無発酵バター 食塩不使用バター	8	58	0.0	6.6	0.0	0.0	0.0	0.0
	豚肉野菜炒め		219	180	13.1	11.6	8.8	3.8	4.6	0.6
		豚肉 大型種 もも 脂身つき, 生	50	86	10.3	5.1	0.1	0.0	0.1	0.1
		食塩	0.1	0	0.0	0.0	0.0	0.0	–	0.1
		合成清酒	5	5	0.0	0.0	0.3	–	–	0.0
		キャベツ 結球葉, 生	80	17	1.0	0.2	4.2	1.4	2.8	0.0
		青ピーマン 果実, 生	15	3	0.1	0.0	0.8	0.3	0.3	0.0
		にんじん 根, 皮なし, 生	10	3	0.1	0.0	0.9	0.2	0.6	0.0
		ぶなしめじ 生	50	11	1.4	0.3	2.4	1.8	0.7	0.0
		調合油	6	53	0.0	6.0	0.0	0.0	–	0.0
		こいくちしょうゆ	3	2	0.2	0.0	0.2	Tr	0.0	0.4
		こしょう 黒, 粉	0.05	0	0.0	0.0	0.0	–	0.0	0.0
	牛乳		200	122	6.6	7.6	9.6	0.0	9.4	0.2
		普通牛乳	200	122	6.6	7.6	9.6	0.0	9.4	0.2
	朝食合計		472	471	23.7	27.6	39.3	5.7	35.7	1.3
昼食	ご飯(70g)		70	109	1.8	0.2	26.0	1.1	26.7	0.0
		こめ 水稲めし 精白米 うるち米	70	109	1.8	0.2	26.0	1.1	26.7	0.0
	アジの南蛮漬け		126	170	13.9	9.0	8.0	0.8	6.0	1.1
		まあじ 生	65	73	12.8	2.9	0.1	0.0	0.1	0.2
		小麦粉 薄力粉 1等	2	7	0.2	0.0	1.5	0.1	1.6	0.0
		調合油	6	53	0.0	6.0	0.0	0.0	–	0.0
		根深ねぎ 葉, 軟白, 生	30	11	0.4	0.0	2.5	0.8	1.1	0.0
		こいくちしょうゆ	6	5	0.5	0.0	0.5	Tr	0.1	0.9
		車糖 上白糖	3	12	0.0	0.0	3.0	0.0	3.1	0.0
		合成清酒	7	8	0.0	0.0	0.4	–	–	0.0
		穀物酢	7	3	0.0	0.0	0.2	0.0	–	0.0
	青菜と鶏肉の豆乳煮		207	147	12.3	8.7	7.1	2.9	1.6	0.8
		若鶏肉 もも 皮なし, 生	50	57	9.5	2.5	0.0	0.0	0.0	0.1
		食塩	0.1	0	0.0	0.0	0.0	0.0	–	0.1
		合成清酒	3	3	0.0	0.0	0.2	–	–	0.0
		チンゲンサイ 葉, 生	75	7	0.4	0.1	1.5	0.9	0.3	0.1
		根深ねぎ 葉, 軟白, 生	20	7	0.3	0.0	1.7	0.5	0.7	0.0
		きくらげ 乾	2.5	5	0.2	0.1	1.8	1.4	0.1	0.0
		調合油	5	44	0.0	5.0	0.0	0.0	–	0.0
		無調整豆乳	50	22	1.8	1.0	1.6	0.1	0.5	0.0
		固形コンソメ	0.8	2	0.1	0.0	0.3	0.0	–	0.3
		食塩	0.2	0	0.0	0.0	0.0	0.0	–	0.2
	ナムル		141	82	2.6	6.4	4.8	2.4	2.0	0.6
		こまつな 葉, 生	80	10	1.2	0.2	1.9	1.5	0.2	0.0
		ブラックマッペもやし 生	50	9	1.1	Tr	1.4	0.8	0.7	Tr
		にんにく りん茎, 生	0.5	1	0.0	0.0	0.1	0.0	0.0	Tr
		ごま いり	0.5	3	0.1	0.3	0.1	0.1	0.0	0.0
		ごま油	6	53	0.0	6.0	0.0	0.0	–	0.0
		こいくちしょうゆ	3	2	0.2	0.0	0.2	Tr	0.0	0.4
		車糖 上白糖	1	4	0.0	0.0	1.0	0.0	1.0	0.0
		食塩	0.2	0	0.0	0.0	0.0	0.0	–	0.2
	昼食合計		544	508	30.6	24.3	45.9	7.2	36.3	2.5
夕食	ご飯(70g)		70	109	1.8	0.2	26.0	1.1	26.7	0.0
		こめ 水稲めし 精白米 うるち米	70	109	1.8	0.2	26.0	1.1	26.7	0.0
	鶏もも肉のトマト煮		241	334	22.8	22.5	14.7	6.9	6.2	1.0
		若鶏肉 もも 皮つき, 生	80	152	13.3	11.4	0.0	0.0	0.0	0.2
		食塩	0.2	0	0.0	0.0	0.0	0.0	–	0.2
		小麦粉 薄力粉 1等	2	7	0.2	0.0	1.5	0.1	1.6	0.0
		オリーブ油	6	54	0.0	6.0	0.0	0.0	–	0.0
		にんにく りん茎, 生	2.5	3	0.2	0.0	0.7	0.1	0.0	Tr
		たまねぎ りん茎, 生	30	10	0.3	0.0	2.5	0.5	2.1	0.0
		トマト 加工品 缶詰 ホール 食塩無添加	70	15	0.6	0.1	3.1	0.9	2.5	Tr
		食塩	0.3	0	0.0	0.0	0.0	0.0	–	0.3
		こしょう 白, 粉	0.05	0	0.0	0.0	0.0	–	0.0	0.0
		蒸し大豆 黄大豆	50	93	8.3	4.9	6.9	5.3	–	0.3
	ツナと豆腐の炒め物		168	215	13.0	17.5	3.6	2.2	1.3	0.5
		木綿豆腐	100	73	7.0	4.9	1.5	1.1	0.8	Tr
		まぐろ類 缶詰 油漬 フレーク, ライト	30	80	5.3	6.5	0.0	0.0	0.0	0.3
		にら 葉, 生	10	2	0.2	0.0	0.4	0.3	0.2	0.0
		えのきたけ 生	20	7	0.5	0.0	1.5	0.8	0.2	0.0
		しょうが 根茎, 皮なし 生	2	1	0.0	0.0	0.1	0.0	0.1	0.0
		調合油	6	53	0.0	6.0	0.0	0.0	–	0.0
		食塩	0.2	0	0.0	0.0	0.0	0.0	–	0.2
		こしょう 白, 粉	0.05	0	0.0	0.0	0.0	–	0.0	0.0
		こいくちしょうゆ	2	2	0.2	0.0	0.2	Tr	0.0	0.3
	カニサラダ		108	115	4.6	9.2	4.8	0.9	1.1	1.0
		かに風味かまぼこ	30	27	3.6	0.2	2.8	0.0	–	0.7
		レタス 結球葉, 生 土耕栽培	25	3	0.2	0.0	0.7	0.3	0.4	0.0
		きゅうり 果実, 生	30	4	0.3	0.0	0.9	0.3	0.6	0.0
		湯通し塩蔵わかめ 塩抜き	10	1	0.2	0.0	0.3	0.3	0.0	0.1
		マヨネーズ 卵黄型	12	80	0.3	9.0	0.1	0.0	0.1	0.2
		パセリ 葉, 生	0.5	0	0.0	0.0	0.0	0.0	0.0	0.0
	夕食合計		587	773	42.2	49.4	49.1	11.1	35.3	2.5
	1日合計		1603	1753	96.5	101.3	134.2	24.0	107.3	6.3

Tr:微量, －:未測定

糖質制限食4日目

	料理名	食品名	正味重量(g)	エネルギー(kcal)	タンパク質(g)	脂質(g)	炭水化物(g)	食物繊維総量(g)	糖質(g)	食塩相当量(g)
朝食	食パン（8枚切1枚）		53	169	4.0	8.5	20.9	1.9	21.7	0.5
		角型食パン	45	112	4.0	1.8	20.9	1.9	21.7	0.5
		無発酵バター　食塩不使用バター	8	58	0.0	6.6	0.0	0.0	0.0	0.0
	ゆで卵のサラダ		170	188	7.3	16.4	4.2	1.1	2.8	0.5
		鶏卵類　全卵　生	50	71	6.1	5.1	0.2	0.0	0.2	0.2
		トマト　果実, 生	50	10	0.4	0.1	2.3	0.5	1.6	0.0
		きゅうり　果実, 生	25	3	0.3	0.0	0.8	0.3	0.5	0.0
		レタス　結球葉, 生　土耕栽培	30	3	0.2	0.0	0.8	0.3	0.5	0.0
		マヨネーズ　卵黄型	15	100	0.4	11.2	0.1	0.0	0.1	0.3
	コンソメスープ		61	14	1.2	0.2	3.2	1.6	1.5	0.4
		キャベツ　結球葉, 生	30	6	0.4	0.1	1.6	0.5	1.1	0.0
		ぶなしめじ　生	30	7	0.8	0.2	1.4	1.1	0.4	0.0
		固形コンソメ	0.5	1	0.0	0.0	0.2	0.0	–	0.2
		食塩	0.2	0	0.0	0.0	0.0	0.0	–	0.2
		こしょう　白, 粉	0.05	0	0.0	0.0	0.0	–	0.0	0.0
	牛乳		200	122	6.6	7.6	9.6	0.0	9.4	0.2
		普通牛乳	200	122	6.6	7.6	9.6	0.0	9.4	0.2
	朝食合計		**484**	**493**	**19.1**	**32.7**	**37.9**	**4.6**	**35.4**	**1.6**
昼食	ご飯（70g）		70	109	1.8	0.2	26.0	1.1	26.7	0.0
		こめ　水稲めし　精白米　うるち米	70	109	1.8	0.2	26.0	1.1	26.7	0.0
	サケのムニエル		145	191	22.5	10.5	4.7	2.1	2.8	0.5
		しろさけ　生	90	112	20.1	3.7	0.1	0.0	0.1	0.2
		食塩	0.2	0	0.0	0.0	0.0	0.0	–	0.2
		小麦粉　薄力粉　1等	2	7	0.2	0.0	1.5	0.1	1.6	0.0
		無発酵バター　有塩バター	8	56	0.0	6.5	0.0	0.0	0.0	0.2
		こしょう　白, 粉	0.05	0	0.0	0.0	0.0	–	0.0	0.0
		ブロッコリー　花序, 生	40	15	2.2	0.2	2.6	2.0	1.0	Tr
		レモン　果汁, 生	5	1	0.0	0.0	0.4	Tr	0.1	0.0
	豚ひき肉と竹の子のそぼろ炒め		122	198	11.6	13.8	9.0	3.1	3.7	0.8
		ぶた　ひき肉　生	50	104	8.9	8.6	0.1	0.0	0.1	0.1
		たけのこ　若茎, ゆで	50	16	1.8	0.1	2.8	1.7	0.8	0.0
		乾しいたけ　乾	3	8	0.6	0.1	1.9	1.4	0.4	Tr
		調合油	5	44	0.0	5.0	0.0	0.0	–	0.0
		みりん　本みりん	9	22	0.0	Tr	3.9	–	2.4	0.0
		こいくちしょうゆ	5	4	0.4	0.0	0.4	Tr	0.1	0.7
	大根のサラダ		121	85	1.0	7.6	4.5	1.7	2.7	0.5
		だいこん　根, 皮なし, 生	90	14	0.4	0.1	3.7	1.2	2.6	0.0
		湯通し塩蔵わかめ　塩抜き	10	1	0.2	0.0	0.3	0.3	0.0	0.1
		かいわれだいこん　芽ばえ, 生	10	2	0.2	0.1	0.3	0.2	–	0.0
		マヨネーズ　全卵型	10	67	0.3	7.5	0.1	0.0	0.1	0.2
		こいくちしょうゆ	1	1	0.1	0.0	0.1	Tr	0.0	0.1
	昼食合計		**458**	**583**	**36.9**	**32.1**	**44.2**	**8.0**	**35.9**	**1.8**
夕食	ご飯（70g）		70	109	1.8	0.2	26.0	1.1	26.7	0.0
		こめ　水稲めし　精白米　うるち米	70	109	1.8	0.2	26.0	1.1	26.7	0.0
	鶏肉の竜田揚げ		122	221	13.2	16.7	4.5	0.4	3.4	1.0
		若鶏肉　もも　皮つき, 生	75	143	12.5	10.7	0.0	0.0	0.0	0.2
		こいくちしょうゆ	6	5	0.5	0.0	0.5	Tr	0.1	0.9
		合成清酒	5	5	0.0	0.0	0.3	–	–	0.0
		しょうが　根茎, 生	1.5	0	0.0	0.0	0.1	0.0	0.1	0.0
		じゃがいもでん粉	3	10	0.0	0.0	2.5	0.0	2.7	0.0
		調合油	6	53	0.0	6.0	0.0	0.0	–	0.0
		サニーレタス　葉, 生	15	2	0.2	0.0	0.5	0.3	0.1	0.0
		ミニトマト　果実, 生	10	3	0.1	0.0	0.7	0.1	0.5	0.0
	切昆布の煮物		118	64	4.1	2.0	9.7	4.9	3.3	1.2
		刻み昆布	5	6	0.3	0.0	2.3	2.0	0.0	0.5
		蒸し大豆　黄大豆	20	37	3.3	2.0	2.8	2.1	–	0.1
		板こんにゃく　精粉こんにゃく	15	1	0.0	Tr	0.3	0.3	–	0.0
		にんじん　根, 皮なし, 生	20	6	0.2	0.0	1.7	0.5	1.2	0
		車糖　上白糖	2	8	0.0	0.0	2.0	0.0	2.1	0.0
		こいくちしょうゆ	3	2	0.2	0.0	0.2	Tr	0.0	0.4
		合成清酒	3	3	0.0	0.0	0.2	–	–	0.0
		かつお・昆布だし　本枯れ節・昆布だし	50	1	0.2	0.0	0.2	Tr	–	0.1
	イカのサラダ		146	123	12.6	6.7	5.2	3.2	2.4	0.8
		するめいか　生	50	38	9.0	0.4	0.1	0.0	0.1	0.3
		ブロッコリー　花序, 生	40	15	2.2	0.2	2.6	2.0	1.0	Tr
		カリフラワー　花序, 生	40	11	1.2	0.2	2.1	1.2	1.3	0.0
		こいくちしょうゆ	3	2	0.2	0.0	0.2	Tr	0.0	0.4
		穀物酢	7	3	0.0	0.0	0.2	0.0	–	0.0
		オリーブ油	6	54	0.0	6.0	0.0	0.0	–	0.0
		食塩	0.1	0	0.0	0.0	0.0	0.0	–	0.1
		こしょう　白, 粉	0.05	0	0.0	0.0	0.0	–	0.0	0.0
	夕食合計		**456**	**518**	**31.7**	**25.6**	**45.4**	**9.6**	**35.7**	**3.0**
	1日合計		**1398**	**1593**	**87.7**	**90.4**	**127.5**	**22.2**	**107.0**	**6.4**

Tr：微量, －：未測定

糖質制限食5日目

	料理名	食品名	正味重量(g)	エネルギー(kcal)	タンパク質(g)	脂質(g)	炭水化物(g)	食物繊維総量(g)	糖質(g)	食塩相当量(g)
朝食	食パン(8枚切1枚)		53	169	4.0	8.5	20.9	1.9	21.7	0.5
		角型食パン	45	112	4.0	1.8	20.9	1.9	21.7	0.5
		無発酵バター　食塩不使用バター	8	58	0.0	6.6	0.0	0.0	0.0	0.0
	ベーコンのスープ煮		156	168	6.9	12.2	11.0	4.3	8.2	1.1
		ぶた　ばらベーコン	30	120	3.9	11.7	0.1	0.0	0.8	0.6
		キャベツ　結球葉,生	50	11	0.7	0.1	2.6	0.9	1.8	0.0
		ぶなしめじ　生	20	4	0.5	0.1	1.0	0.7	0.3	0.0
		いんげんまめ　全粒,ゆで	15	19	1.4	0.2	3.7	2.0	2.6	0.0
		たまねぎ　りん茎,生	30	10	0.3	0.0	2.5	0.5	2.1	0.0
		にんじん　根,皮なし,生	10	3	0.1	0.0	0.9	0.2	0.6	0
		固形コンソメ	0.5	1	0.0	0.0	0.2	0.0	–	0.2
		食塩	0.3	0	0.0	0.0	0.0	0.0	–	0.3
		こしょう　黒,粉	0.05	0	0.0	0.0	0.0	–	0.0	0.0
	牛乳		200	122	6.6	7.6	9.6	0.0	9.4	0.2
		普通牛乳	200	122	6.6	7.6	9.6	0.0	9.4	0.2
	朝食合計		409	459	17.5	28.3	41.5	6.2	39.3	1.9
昼食	ご飯(70g)		70	109	1.8	0.2	26.0	1.1	26.7	0.0
		こめ　水稲めし　精白米　うるち米	70	109	1.8	0.2	26.0	1.1	26.7	0.0
	エビとエリンギの炒め物		199	177	20.9	7.1	8.3	3.3	4.6	1.0
		ブラックタイガー　養殖,生	100	77	18.4	0.3	0.3	0.0	0.3	0.4
		食塩	0.1	0	0.0	0.0	0.0	0.0	–	0.1
		合成清酒	2.5	3	0.0	0.0	0.1	–	–	0.0
		エリンギ　生	50	16	1.4	0.2	3.0	1.7	1.5	0.0
		いんげんまめ　さやいんげん　若ざや,生	30	7	0.5	0.0	1.5	0.7	0.7	0.0
		きくらげ　乾	1.5	3	0.1	0.1	1.1	0.9	0.0	0.0
		XO醤	3	10	0.3	0.5	1	0	1	0.2
		合成清酒	3	3	0.0	0.0	0.2	–	–	0.0
		車糖　上白糖	1	4	0.0	0.0	1.0	0.0	1.0	0.0
		こいくちしょうゆ	2	2	0.2	0.0	0.2	Tr	0.0	0.3
		調合油	6	53	0.0	6.0	0.0	0.0	–	0.0
	豚肉のしゃぶしゃぶ風サラダ		191	265	16.0	20.5	5.7	1.9	2.1	0.7
		豚肉　大型種　ロース　脂身つき,生	75	186	14.5	14.4	0.2	0.0	0.2	0.1
		えのきたけ　生	30	10	0.8	0.1	2.3	1.2	0.3	0.0
		レタス　結球葉,生　土耕栽培	40	4	0.2	0.0	1.1	0.4	0.7	0.0
		トマト　果実,生	30	6	0.2	0.0	1.4	0.3	0.9	0.0
		ぽん酢しょうゆ	10	5	0.3	0.0	0.7	0.0	0.1	0.6
		ごま油	6	53	0.0	6.0	0.0	0.0	–	0.0
	白菜のお浸し		118	16	1.1	0.1	3.5	1.3	2.0	0.4
		はくさい　結球葉,生	100	13	0.8	0.1	3.2	1.3	2.0	0.0
		こいくちしょうゆ	3	2	0.2	0.0	0.2	Tr	0.0	0.4
		かつお・昆布だし　本枯れ節・昆布だし	15	0	0.1	0.0	0.0	Tr	–	0.0
	昼食合計		578	567	39.8	27.9	43.5	7.6	35.4	2.1
夕食	ご飯(70g)		70	109	1.8	0.2	26.0	1.1	26.7	0.0
		こめ　水稲めし　精白米　うるち米	70	109	1.8	0.2	26.0	1.1	26.7	0.0
	鯛のソテー		133	198	21.1	11.9	3.8	1.0	2.2	0.3
		真鯛　天然　生	100	129	20.6	5.8	0.1	0.0	0.1	0.1
		食塩	0.2	0	0.0	0.0	0.0	0.0	–	0.2
		こしょう　白,粉	0.05	0	0.0	0.0	0.0	–	0.0	0.0
		小麦粉　薄力粉　1等	2	7	0.2	0.0	1.5	0.1	1.6	0.0
		オリーブ油	6	54	0.0	6.0	0.0	0.0	–	0.0
		クレソン　茎葉,生	10	1	0.2	0.0	0.3	0.3	0.1	0.0
		レモン　全果,生	15	6	0.1	0.1	1.9	0.7	0.4	0.0
	青梗菜と豚肉の塩炒め		174	205	16.9	14.2	2.2	1.0	0.5	0.9
		豚肉　大型種　もも　脂身つき,生	80	137	16.4	8.1	0.2	0.0	0.2	0.1
		チンゲンサイ　葉,生	80	7	0.5	0.1	1.6	1.0	0.3	0.1
		調合油	6	53	0.0	6.0	0.0	0.0	–	0.0
		合成清酒	7.5	8	0.0	0.0	0.4	–	–	0.0
		食塩	0.7	0	0.0	0.0	0.0	0.0	–	0.7
		こしょう　黒,粉	0.05	0	0.0	0.0	0.0	–	0.0	0.0
	ひじきサラダ		57	126	2.6	11.1	8.3	6.2	1.1	0.8
		ほしひじき　乾　ステンレス	10	18	0.9	0.3	5.8	5.2	0.0	0.4
		にんじん　根,皮なし,生	10	3	0.1	0.0	0.9	0.2	0.6	0
		きゅうり　果実,生	20	3	0.2	0.0	0.6	0.2	0.4	0.0
		ねりごま【白】	5	32	1.0	3.1	0.8	0.6	0.0	Tr
		マヨネーズ　卵黄型	10	67	0.2	7.5	0.1	0.0	0.1	0.2
		こいくちしょうゆ	1.5	1	0.1	0.0	0.1	Tr	0.0	0.2
		ごま　いり	0.3	2	0.1	0.2	0.1	0.0	0.0	0.0
	夕食合計		434	638	42.4	37.4	40.3	9.3	30.5	2.0
	1日合計		1421	1664	99.7	93.6	125.3	23.1	105.2	6.0

Tr：微量，－：未測定

資 料

糖質制限食6日目

	料理名	食品名	正味重量(g)	エネルギー(kcal)	タンパク質(g)	脂質(g)	炭水化物(g)	食物繊維:総量(g)	糖質(g)	食塩相当量(g)
朝食	食パン（8枚切1枚）		53	169	4.0	8.5	20.9	1.9	21.7	0.5
		角型食パン	45	112	4.0	1.8	20.9	1.9	21.7	0.5
		無発酵バター　食塩不使用バター	8	58	0.0	6.6	0.0	0.0	0.0	0.0
	ホタテのクリーム煮		259	213	12.3	12.3	14.5	2.1	11.2	1.5
		ほたてがい　貝柱　生	60	49	8.1	0.5	2.1	0.0	0.9	0.2
		キャベツ　結球葉, 生	40	8	0.5	0.1	2.1	0.7	1.4	0.0
		たまねぎ　りん茎, 生	25	8	0.3	0.0	2.1	0.4	1.8	0.0
		食塩	0.3	0	0.0	0.0	0.0	0.0	–	0.3
		ぶどう酒　白	7.5	6	0.0	Tr	0.2	–	0.2	0.0
		にんじん　根, 皮なし, 生	20	6	0.2	0.0	1.7	0.5	1.2	0.0
		マッシュルーム　生	22.5	3	0.7	0.1	0.5	0.5	0.0	0.0
		調合油	4	35	0.0	4.0	0.0	0.0	–	0.0
		固形コンソメ	0.6	1	0.0	0.0	0.3	0.0	–	0.3
		普通牛乳	70	43	2.3	2.7	3.4	0.0	3.3	0.1
		食塩	0.5	0	0.0	0.0	0.0	0.0	–	0.5
		無発酵バター　有塩バター	6	42	0.0	4.9	0.0	0.0	0.0	0.1
		小麦粉　薄力粉　1等	3	10	0.2	0.0	2.3	0.1	2.4	0.0
	ヨーグルト		100	56	3.6	3.0	4.9	0.0	3.9	0.1
		ヨーグルト　全脂無糖	100	56	3.6	3.0	4.9	0.0	3.9	0.1
	朝食合計		412	438	19.9	23.8	40.3	4.0	36.8	2.1
昼食	ご飯（70g）		70	109	1.8	0.2	26.0	1.1	26.7	0.0
		こめ　水稲めし　精白米　うるち米	70	109	1.8	0.2	26.0	1.1	26.7	0.0
	キンメダイの蒸し煮		106.5	154	13.8	9.8	1.4	0.5	0.1	0.7
		きんめだい　生	75	110	13.4	6.8	0.1	0.0	0.1	0.1
		湯通し塩蔵わかめ　塩抜き	15	2	0.2	0.0	0.5	0.5	0.0	0.2
		合成清酒	10	11	0.0	0.0	0.5	–	–	0.0
		こいくちしょうゆ	3	2	0.2	0.0	0.2	Tr	0.0	0.4
		穀物酢	3.5	1	0.0	0.0	0.1	0.0	–	0.0
		花椒【パウダー】	0.01	0	0.0	0.0	0.0	0.0	–	0.0
		ごま油	3	27	0.0	3.0	0.0	0.0	–	0.0
	揚げ出し豆腐		239	219	11.3	14.9	11.4	2.2	8.9	0.8
		木綿豆腐	150	110	10.5	7.4	2.3	1.6	1.2	Tr
		じゃがいもでん粉	6	20	0.0	0.0	4.9	0.0	5.4	0.0
		調合油	7.5	66	0.0	7.5	0.0	0.0	–	0.0
		みりん　本みりん	5	12	0.0	Tr	2.2	–	1.3	0.0
		こいくちしょうゆ	5	4	0.4	0.0	0.4	Tr	0.1	0.7
		だいこん　根, 皮なし, 生	30	5	0.1	0.0	1.2	0.4	0.9	0.0
		あさつき　葉, 生	5	2	0.2	0.0	0.3	0.2	–	0.0
		かつお・昆布だし　本枯れ節・昆布だし	30	1	0.1	0.0	0.1	Tr	–	0.0
	小松菜のからしあえ		109	21	1.8	0.5	3.4	1.9	0.3	0.4
		こまつな　葉, 生	100	13	1.5	0.2	2.4	1.9	0.3	0.0
		からし　練り	2	6	0.1	0.3	0.8	–	–	0.1
		こいくちしょうゆ	2	2	0.2	0.0	0.2	Tr	0.1	0.3
		かつお・昆布だし　本枯れ節・昆布だし	2	2	0.2	0.0	0.2	Tr	–	0.0
	昼食合計		524.5	503	28.7	25.4	42.2	5.7	36.0	1.9
夕食	ご飯（70g）		70	109	1.8	0.2	26.0	1.1	26.7	0.0
		こめ　水稲めし　精白米　うるち米	70	109	1.8	0.2	26.0	1.1	26.7	0.0
	ハンバーグ		181	285	19.1	21.4	9.3	3.0	6.6	1.0
		うし　ひき肉　生	40	100	6.8	8.5	0.1	0.0	0.1	0.1
		ぶた　ひき肉　生	40	84	7.1	6.9	0.0	0.0	0.0	0.0
		たまねぎ　りん茎, 生	20	7	0.2	0.0	1.7	0.3	1.4	0.0
		パン粉　乾燥	2	7	0.3	0.1	1.3	0.1	1.4	0.0
		鶏卵類　全卵　生	15	21	1.8	1.6	0.1	0.0	0.0	0.1
		食塩	0.2	0	0.0	0.0	0.0	0.0	–	0.2
		ナツメグ　粉	0.1	1	0.0	0.0	0.0	–	–	0.0
		調合油	4	35	0.0	4.0	0.0	0.0	–	0.0
		トマトケチャップ	5	5	0.1	0.0	1.4	0.1	1.2	0.2
		ウスターソース	5	6	0.1	0.0	1.4	0.0	1.2	0.4
		ブロッコリー　花序, 生	50	19	2.7	0.3	3.3	2.6	1.2	Tr
	豆入りオムレツ		157	233	16.8	15.8	10.2	5.6	3.6	1.0
		鶏卵類　全卵　生	50	71	6.1	5.1	0.2	0.0	0.2	0.2
		ナチュラルチーズ　パルメザン	8	36	3.5	2.5	0.2	0.0	0.0	0.3
		食塩	0.1	0	0.0	0.0	0.0	0.0	–	0.1
		こしょう　白, 粉	0.05	0	0.0	0.0	0.0	–	0.0	0.0
		蒸し大豆　黄大豆	30	56	5.0	2.9	4.1	3.2	–	0.2
		ブロッコリー　花序, 生	30	11	1.6	0.2	2.0	1.5	0.7	Tr
		赤ピーマン　果実, 生	10	3	0.1	0.0	0.7	0.2	0.5	0.0
		生しいたけ　生　菌床栽培	7	2	0.2	0.0	0.4	0.3	0.0	0.0
		たまねぎ　りん茎, 生	10	3	0.1	0.0	0.8	0.2	0.7	0.0
		オリーブ油	5	45	0.0	5.0	0.0	0.0	–	0.0
		パセリ　葉, 生	1.3	0	0.1	0.0	0.1	0.1	–	0.0
		トマトケチャップ	6	6	0.1	0.0	1.7	0.1	1.5	0.2
	きのこのマリネ		150	92	3.6	6.4	7.0	4.3	2.4	0.4
		生しいたけ　生　菌床栽培	40	10	1.2	0.1	2.6	2.0	0.3	0.0
		エリンギ　生	40	12	1.1	0.2	2.4	1.4	1.2	0.0
		マッシュルーム　生	40	6	1.2	0.1	0.8	0.8	0.0	0.0
		たまねぎ　りん茎, 生	10	3	0.1	0.0	0.8	0.2	0.7	0.0
		オリーブ油	6	54	0.0	6.0	0.0	0.0	–	0.0
		穀物酢	7.5	3	0.0	0.0	0.2	0.0	–	0.0
		ぶどう酒　白	5	4	0.0	Tr	0.1	–	0.1	0.0
		食塩	0.4	0	0.0	0.0	0.0	0.0	–	0.4
		こしょう　黒, 粉	0.05	0	0.0	0.0	0.0	–	0.0	0.0
		パセリ　葉, 生	1	0	0.0	0.0	0.1	0.1	0.0	0.0
	夕食合計		558	720	41.3	43.8	52.5	14.0	39.3	2.4
	1日合計		1494	1660	90.0	92.9	135.0	23.6	112.1	6.4

Tr：微量，−：未測定

131

資 料

糖質制限食 7 日目

	料理名	食品名	正味重量 (g)	エネルギー (kcal)	タンパク質 (g)	脂質(g)	炭水化物 (g)	食物繊維：総量(g)	糖質(g)	食塩相当量 (g)
朝食	食パン（8枚切1枚）		53	169	4.0	8.5	20.9	1.9	21.7	0.5
		角型食パン	45	112	4.0	1.8	20.9	1.9	21.7	0.5
		無発酵バター　食塩不使用バター	8	58	0.0	6.6	0.0	0.0	0.0	0.0
	ロースハムのサラダ		193	244	9.2	20.6	8.3	3.7	3.1	1.2
		ぶた　ハム類　ロース	40	84	7.4	5.8	0.8	0.0	0.5	0.9
		アボカド　生	50	89	1.1	8.8	4.0	2.8	0.4	Tr
		レタス　結球葉，生　土耕栽培	20	2	0.1	0.0	0.6	0.2	0.3	0.0
		トマト　果実，生	40	8	0.3	0.0	1.9	0.4	1.2	0.0
		きゅうり　果実，生	30	4	0.3	0.0	0.9	0.3	0.6	0.0
		穀物酢	7	3	0.0	0.0	0.2	0.0	–	0.0
		オリーブ油	6	54	0.0	6.0	0.0	0.0	–	0.0
		食塩	0.3	0	0.0	0.0	0.0	0.0	–	0.3
	牛乳		200	122	6.6	7.6	9.6	0.0	9.4	0.2
		普通牛乳	200	122	6.6	7.6	9.6	0.0	9.4	0.2
	朝食合計		**446**	**535**	**19.8**	**36.7**	**38.8**	**5.6**	**34.2**	**1.9**
昼食	ご飯（70g）		70	109	1.8	0.2	26.0	1.1	26.7	0.0
		こめ　水稲めし　精白米　うるち米	70	109	1.8	0.2	26.0	1.1	26.7	0.0
	鶏もも肉の中国風照り焼き		127	267	17.1	20.2	4.3	0.2	3.5	0.9
		若鶏肉　もも　皮つき，生	100	190	16.6	14.2	0.0	0.0	0.0	0.2
		調合油	6	53	0.0	6.0	0.0	0.0	–	0.0
		こいくちしょうゆ	5	4	0.4	0.0	0.4	Tr	0.1	0.7
		合成清酒	5	5	0.0	0.0	0.3	–	–	0.0
		車糖　上白糖	3	12	0.0	0.0	3.0	0.0	3.1	0.0
		こしょう　白，粉	0.05	0	0.0	0.0	0.0	–	0.0	0.0
		根深ねぎ　葉，軟白，生	8	3	0.1	0.0	0.7	0.2	0.3	0.0
	いり豆腐		221	225	15.2	16.0	6.0	2.3	3.3	1.1
		木綿豆腐	150	110	10.5	7.4	2.3	1.7	1.2	Tr
		さくらえび　素干し	1.5	4	1.0	0.1	0.0	–	0.0	0.0
		根深ねぎ　葉，軟白，生	10	4	0.1	0.0	0.8	0.3	0.4	0.0
		にんじん　根，皮なし，生	10	3	0.1	0.0	0.9	0.2	0.6	0.0
		糸みつば　葉，生	5	1	0.1	0.0	0.1	0.1	–	0.0
		調合油	6	53	0.0	6.0	0.0	0.0	–	0.0
		鶏卵類　全卵　生	25	36	3.1	2.6	0.1	0.0	0.1	0.1
		合成清酒	7	8	0.0	0.0	0.4	–	–	0.0
		こいくちしょうゆ	5	4	0.4	0.0	0.4	Tr	0.1	0.7
		車糖　上白糖	1	4	0.0	0.0	1.0	0.0	1.0	0.0
		食塩	0.2	0	0.0	0.0	0.0	0.0	–	0.2
	ひじきの煮物		83	54	2.5	1.6	10.2	6.3	2.5	1.2
		ほしひじき　乾　ステンレス	12	22	1.1	0.4	7.0	6.2	0.0	0.6
		にんじん　根，皮なし，生	5	2	0.1	0.0	0.4	0.1	0.3	0.0
		油揚げ　油抜き　生	5	13	0.9	1.2	Tr	0.0	0.0	0.0
		こいくちしょうゆ	4	3	0.3	0.0	0.3	Tr	0.1	0.6
		車糖　上白糖	2	8	0.0	0.0	2.0	0.0	2.1	0.0
		合成清酒	5	5	0.0	0.0	0.3	–	–	0.0
		かつお・昆布だし　本枯れ節・昆布だし	50	1	0.2	0.0	0.2	Tr	–	0.1
	昼食合計		**501**	**655**	**36.6**	**38.0**	**46.5**	**9.9**	**36.0**	**3.2**
夕食	ご飯（70g）		70	109	1.8	0.2	26.0	1.1	26.7	0.0
		こめ　水稲めし　精白米　うるち米	70	109	1.8	0.2	26.0	1.1	26.7	0.0
	サケのホイル焼き		140	190	22.9	10.6	2.6	0.8	1.6	0.6
		しろさけ　生	100	124	22.3	4.1	0.1	0.0	0.1	0.2
		食塩	0.2	0	0.0	0.0	0.0	0.0	–	0.2
		たまねぎ　りん茎，生	20	7	0.2	0.0	1.7	0.3	1.4	0.0
		生しいたけ　生　菌床栽培	10	3	0.3	0.0	0.6	0.5	0.1	0.0
		無発酵バター　有塩バター	8	56	0.0	6.5	0.0	0.0	0.0	0.2
		レモン　果汁，生	2	0	0.0	0.0	0.2	Tr	0.0	0.0
	厚揚げと青梗菜の煮物		239	162	11.6	11.4	4.2	1.7	2.6	0.7
		生揚げ	100	143	10.7	11.3	0.9	0.7	1.2	0.0
		チンゲンサイ　葉，生	80	7	0.5	0.1	1.6	1.0	0.3	0.1
		かつお・昆布だし　本枯れ節・昆布だし	50	1	0.2	0.0	0.2	Tr	–	0.1
		こいくちしょうゆ	4	3	0.3	0.0	0.3	Tr	0.1	0.6
		合成清酒	4	4	0.0	0.0	0.2	–	–	0.0
		車糖　上白糖	1	4	0.0	0.0	1.0	0.0	1.0	0.0
	きんぴらごぼう		96	112	1.8	6.1	13.9	4.5	2.0	0.6
		ごぼう　根，生	80	46	1.4	0.1	12.3	4.5	0.9	0.0
		調合油	6	53	0.0	6.0	0.0	0.0	–	0.0
		車糖　上白糖	1	4	0.0	0.0	1.0	0.0	1.0	0.0
		こいくちしょうゆ	4	3	0.3	0.0	0.3	Tr	0.1	0.6
		合成清酒	5	5	0.0	0.0	0.3	–	–	0.0
	夕食合計		**545**	**573**	**38.0**	**28.3**	**46.7**	**8.1**	**32.9**	**1.9**
	1日合計		**1492**	**1763**	**94.4**	**103.0**	**132.0**	**23.6**	**103.2**	**7.0**

Tr：微量，－：未測定

糖質制限食8日目

	料理名	食品名	正味重量(g)	エネルギー(kcal)	タンパク質(g)	脂質(g)	炭水化物(g)	食物繊維総量(g)	糖質(g)	食塩相当量(g)
朝食	食パン（8枚切1枚）		53	169	4.0	8.5	20.9	1.9	21.7	0.5
		角型食パン	45	112	4.0	1.8	20.9	1.9	21.7	0.5
		無発酵バター　食塩不使用バター	8	58	0.0	6.6	0.0	0.0	0.0	0.0
	エビとブロッコリーのミルク煮		284	229	18.1	10.0	20.9	6.3	14.1	1.1
		ブロッコリー　花序, 生	75	28	4.0	0.5	5.0	3.8	1.8	Tr
		ブラックタイガー　養殖, 生	50	39	9.2	0.2	0.2	0.2	0.2	0.2
		食塩	0.1	0	0.0	0.0	0.0	0.0	–	0.1
		合成清酒	3	3	0.0	0.0	0.2	–	–	0.0
		調合油	5	44	0.0	5.0	0.0	0.0	–	0.0
		きくらげ　乾	2	4	0.2	0.0	1.4	1.1	0.1	0.0
		スイートコーン　缶詰　ホールカーネルスタイル	40	31	0.9	0.2	7.1	1.3	5.6	0.2
		普通牛乳	100	61	3.3	3.8	4.8	0.0	4.7	0.1
		固形コンソメ	0.8	2	0.1	0.0	0.3	0.0	–	0.3
		食塩	0.1	0	0.0	0.0	0.0	0.0	–	0.1
		合成清酒	5	5	0.0	0.0	0.3	–	–	0.1
		じゃがいもでん粉	2	7	0.0	0.0	1.6	0.0	1.8	0.0
		ナチュラルチーズ　パルメザン	1	4	0.4	0.3	0.0	0.0	–	0.1
	ヨーグルト		100	56	3.6	3.0	4.9	0.0	3.9	0.1
		ヨーグルト　全脂無糖	100	56	3.6	3.0	4.9	0.0	3.9	0.1
	朝食合計		**437**	**454**	**25.7**	**21.5**	**46.7**	**8.2**	**39.7**	**1.7**
昼食	ご飯（70g）		70	109	1.8	0.2	26.0	1.1	26.7	0.0
		こめ　水稲めし　精白米　うるち米	70	109	1.8	0.2	26.0	1.1	26.7	0.0
	サバの竜田揚げ		108	306	18.4	31.1	4.2	0.1	3.9	0.6
		まさば　生	80	169	18.1	18.1	0.2	0.0	0.2	0.0
		こいくちしょうゆ	4	3	0.3	0.0	0.3	Tr	0.1	0.6
		合成清酒	5	5	0.0	0.0	0.3	–	–	0.0
		しょうが　根茎, 皮なし, 生	0.8	0	0.0	0.0	0.1	0.0	0.0	0.0
		じゃがいもでん粉	4	13	0.0	0.0	3.3	0.0	3.6	0.0
		調合油	13	115	0.0	13.0	0.0	0.0	–	0.0
		しそ　葉, 生	1	0	0.0	0.0	0.1	0.1	–	0.0
	きゅうりと鶏肉のピリ辛炒め		234	261	15.7	19.9	7.3	2.5	3.2	1.0
		きゅうり　果実, 生	100	13	1.0	0.1	3.0	1.1	2.0	0.0
		食塩	0.1	0	0.0	0.0	0.0	0.0	–	0.1
		若鶏肉　もも　皮つき, 生	80	152	13.3	11.4	0.0	0.0	0.0	0.2
		食塩	0.1	0	0.0	0.0	0.0	0.0	–	0.1
		こしょう　白, 粉	0.05	0	0.0	0.0	0.0	–	0.0	0.0
		しょうが　根茎, 皮なし　生	3	1	0.0	0.0	0.2	0.1	0.1	0.0
		にんにく　りん茎, 生	1.5	2	0.1	0.0	0.4	0.1	0.1	Tr
		根深ねぎ　葉, 軟白, 生	2.5	1	0.0	0.0	0.2	0.1	0.1	0.0
		ぶなしめじ　生	30	7	0.8	0.2	1.4	1.1	0.4	0.0
		調合油	5	44	0.0	5.0	0.0	0.0	–	0.0
		トウバンジャン	1	0	0.0	0.0	0.1	0.1	–	0.2
		テンメイジャン	3	7	0.3	0.2	1.1	0.1	–	0.2
		こいくちしょうゆ	2	2	0.2	0.0	0.2	Tr	0.0	0.3
		合成清酒	2.5	3	0.0	0.0	0.1	–	–	0.0
		車糖　上白糖	0.5	2	0.0	0.0	0.5	0.0	0.5	0.0
		ごま油	3	27	0.0	3.0	0.0	0.0	–	0.0
	大根の梅風味サラダ		88	59	0.6	5.1	3.4	1.1	2.1	0.4
		だいこん　根, 皮なし, 生	70	11	0.3	0.1	2.9	0.9	2.0	0.0
		かいわれだいこん　芽ばえ, 生	10	2	0.2	0.1	0.3	0.2	–	0.0
		梅干し　塩漬け	1.5	0	0.0	0.0	0.1	0.0	–	0.3
		オリーブ油	5	45	0.0	5.0	0.0	0.0	–	0.0
		こいくちしょうゆ	1	1	0.1	0.0	0.1	Tr	0.0	0.1
	昼食合計		**500**	**735**	**36.5**	**56.3**	**40.9**	**4.8**	**35.9**	**2.0**
夕食	ご飯（70g）		70	109	1.8	0.2	26.0	1.1	26.7	0.0
		こめ　水稲めし　精白米　うるち米	70	109	1.8	0.2	26.0	1.1	26.7	0.0
	小松菜と牛肉のごま炒め		201	126	18.1	18.6	6.3	2.2	2.0	0.9
		乳用肥育牛肉　もも　脂身つき, 生	80	161	15.6	10.6	0.3	0.0	0.3	0.1
		こいくちしょうゆ	1	1	0.1	0.0	0.1	Tr	0.0	0.1
		合成清酒	5	5	0.0	0.0	0.3	–	–	0.0
		こまつな　葉, 生	75	10	1.1	0.2	1.8	1.4	0.2	0.0
		赤ピーマン　果実, 生	15	4	0.2	0.0	1.1	0.2	0.8	0.0
		にんにく　りん茎, 生	2.5	3	0.2	0.0	0.7	0.2	0.5	Tr
		調合油	6	53	0.0	6.0	0.0	0.0	–	0.0
		オイスターソース	3	3	0.2	0.1	0.5	0.0	–	0.3
		こいくちしょうゆ	2	2	0.2	0.0	0.2	Tr	0.0	0.3
		合成清酒	7.5	8	0.0	0.0	0.4	–	–	0.0
		車糖　上白糖	0.5	2	0.0	0.0	0.5	0.0	0.5	0.0
		ねりごま【白】	2	13	0.4	1.2	0.3	0.2	0.0	Tr
		ごま　いり	1	6	0.2	0.5	0.2	0.1	0.0	0.0
	がんもどきとオクラの煮物		188	162	10.0	10.7	5.9	1.5	4.8	0.8
		がんもどき	60	134	9.2	10.7	1.0	0.8	1.3	0.3
		オクラ　果実, 生	14	4	0.3	0.0	0.9	0.7	0.3	0.0
		かつお・昆布だし　本枯れ節・昆布だし	100	2	0.3	0.0	0.4	Tr	–	0.1
		こいくちしょうゆ	3	2	0.2	0.0	0.2	Tr	0.0	0.4
		合成清酒	7.5	8	0.0	0.0	0.4	–	–	0.0
		車糖　上白糖	3	12	0.0	0.0	3.0	0.0	3.1	0.0
	温泉卵		107	82	6.9	5.6	0.9	0.0	0.4	0.4
		鶏卵類　全卵　生	55	78	6.7	5.6	0.2	0.0	0.2	0.2
		こいくちしょうゆ	1	1	0.1	0.0	0.1	Tr	0.0	0.1
		みりん　本みりん	1	2	0.0	Tr	0.4	–	0.3	0.0
		かつお・昆布だし　本枯れ節・昆布だし	50	1	0.2	0.0	0.2	Tr	–	0.1
	キャベツとえのきのお浸し		120	31	2.3	0.2	7.1	3.0	2.6	0.3
		キャベツ　結球葉, 生	60	13	0.8	0.1	3.1	1.1	2.1	0.0
		えのきたけ　生	50	17	1.4	0.1	3.8	2.0	0.5	0.0
		こいくちしょうゆ	2	2	0.2	0.0	0.2	Tr	0.0	0.3
		かつお・昆布だし　本枯れ節・昆布だし	7.5	0	0.0	0.0	0.0	Tr	–	0.0
	夕食合計		**684**	**510**	**39.1**	**35.3**	**46.2**	**7.8**	**36.5**	**2.4**
	1日合計		**1621**	**1699**	**101.3**	**113.2**	**133.8**	**20.8**	**112.1**	**6.1**

Tr：微量，−：未測定

資　料

糖質制限食9日目

	料理名	食品名	正味重量(g)	エネルギー(kcal)	タンパク質(g)	脂質(g)	炭水化物(g)	食物繊維:総量(g)	糖質(g)	食塩相当量(g)
朝食	食パン（8枚切1枚）		53	169	4.0	8.5	20.9	1.9	21.7	0.5
		角型食パン	45	112	4.0	1.8	20.9	1.9	21.7	0.5
		無発酵バター　食塩不使用バター	8	58	0.0	6.6	0.0	0.0	0.0	0.0
	野菜スープ		179	173	9.3	11.7	12.4	6.3	5.4	1.0
		ぶた　ばらベーコン	15	60	1.9	5.9	0.0	0.0	0.4	0.3
		キャベツ　結球葉, 生	40	8	0.5	0.1	2.1	0.7	1.4	0.0
		ブロッコリー　花序, 生	40	15	2.2	0.2	2.6	2.0	1.0	Tr
		たまねぎ　りん茎, 生	25	8	0.3	0.0	2.1	0.4	1.8	0.0
		にんじん　根, 皮なし, 生	10	3	0.1	0.0	0.9	0.2	0.6	0.0
		セロリー　葉柄, 生	20	2	0.1	0.0	0.7	0.3	0.3	0.0
		固形コンソメ	1	2	0.1	0.0	0.4	0.0	–	0.4
		オリーブ油	3	27	0.0	3.0	0.0	0.0	–	0.0
		食塩	0.1	0	0.0	0.0	0.0	0.0	–	0.1
		こしょう　白, 粉	0.05	0	0.0	0.0	0.0	–	0.0	0.0
		蒸し大豆　黄大豆	25	47	4.2	2.5	3.5	2.7	–	0.2
	牛乳		200	122	6.6	7.6	9.6	0.0	9.4	0.2
		普通牛乳	200	122	6.6	7.6	9.6	0.0	9.4	0.2
	朝食合計		432	464	19.9	27.8	42.9	8.2	36.5	1.7
昼食	ご飯（70g）		70	109	1.8	0.2	26.0	1.1	26.7	0.0
		こめ　水稲めし　精白米　うるち米	70	109	1.8	0.2	26.0	1.1	26.7	0.0
	サワラの西京焼き		91	146	16.4	7.9	2.4	0.2	0.6	0.6
		さわら　生	80	129	16.1	7.8	0.1	0.0	0.1	0.1
		食塩	0.2	0	0.0	0.0	0.0	0.0	–	0.2
		米みそ　甘みそ	3	6	0.3	0.1	1.1	0.2	–	0.2
		合成清酒	5	5	0.0	0.0	0.3	–	–	0.0
		みりん　本みりん	2	5	0.0	Tr	0.9	–	0.5	0.0
		しそ　葉, 生	1	0	0.0	0.0	0.1	0.1	–	0.0
	鶏肉ときくらげの炒め物		161	234	14.9	17.5	5.3	2.6	1.7	1.0
		若鶏肉　もも　皮つき, 生	80	152	13.3	11.4	0.0	0.0	0.0	0.2
		合成清酒	5	5	0.0	0.0	0.3	–	–	0.0
		こいくちしょうゆ	3	2	0.2	0.0	0.2	Tr	0.0	0.4
		こしょう　白, 粉	0.05	0	0.0	0.0	0.0	–	0.0	0.0
		じゃがいもでん粉	1.5	5	0.0	0.0	1.2	0.0	1.3	0.0
		こまつな　葉, 生	60	8	0.9	0.1	1.4	1.1	0.2	0.0
		きくらげ　乾	2.5	5	0.2	0.1	1.8	1.4	0.1	0.0
		調合油	6	53	0.0	6.0	0.0	0.0	–	0.0
		とうがらし　粉	0.1	0	0.0	0.0	0.1	–	–	0.0
		こいくちしょうゆ	3	2	0.2	0.0	0.2	Tr	0.0	0.4
	ぶなしめじのおろしあえ		153	27	1.9	0.4	6.3	3.1	3.2	0.2
		ぶなしめじ　生	60	13	1.6	0.3	2.9	2.1	0.8	0.0
		だいこん　根, 皮なし, 生	80	12	0.3	0.1	3.3	1.0	2.3	0.0
		穀物酢	5	2	0.0	0.0	0.1	0.0	–	0.0
		食塩	0.2	0	0.0	0.0	0.0	0.0	–	0.2
		かつお・昆布だし　本枯れ節・昆布だし	7.5	0	0.0	0.0	0.0	–	Tr	0.0
	昼食合計		475	516	35.0	26.0	40.0	7.0	32.2	1.8
夕食	ご飯（70g）		70	109	1.8	0.2	26.0	1.1	26.7	0.0
		こめ　水稲めし　精白米　うるち米	70	109	1.8	0.2	26.0	1.1	26.7	0.0
	メカジキのタンドリー風		199	226	20.9	13.5	8.3	1.4	5.8	1.0
		めかじき　生	100	139	19.2	7.6	0.1	0.0	0.1	0.2
		食塩	0.2	0	0.0	0.0	0.0	0.0	–	0.2
		こしょう　白, 粉	0.05	0	0.0	0.0	0.0	–	0.0	0.0
		ヨーグルト　全脂無糖	20	11	0.7	0.6	1.0	0.0	0.8	0.0
		カレー粉	1	4	0.1	0.1	0.6	0.4	–	0.0
		食塩	0.1	0	0.0	0.0	0.0	0.0	–	0.1
		こいくちしょうゆ	3	2	0.2	0.0	0.2	Tr	0.0	0.4
		パプリカ　粉	0.3	1	0.0	0.0	0.2	–	–	0.0
		オレンジ　バレンシア　マーマレード　高糖度	4	9	0.0	0.0	2.5	0.0	2.5	0.0
		オリーブ油	5	45	0.0	5.0	0.0	0.0	–	0.0
		サニーレタス　葉, 生	20	3	0.2	0.1	0.7	0.4	0.1	0.0
		トマト　果実, 生	25	5	0.2	0.0	1.2	0.3	0.8	0.0
		赤たまねぎ　りん茎, 生	20	7	0.2	0.0	1.8	0.3	1.5	0.0
	ほうれん草とゆで豚のポン酢しょうゆあえ		183	207	16.9	14.8	3.7	2.8	0.5	0.5
		ほうれんそう　葉, 生　通年平均	100	18	2.2	0.4	3.1	2.8	0.3	0.0
		豚肉　大型種　ロース　脂身つき, 生	75	186	14.5	14.4	0.2	0.0	0.2	0.1
		こいくちしょうゆ	3	2	0.2	0.0	0.2	Tr	0.0	0.4
		ゆず　果汁, 生	3	1	0.0	0.0	0.2	0.0	–	0.0
		かつお・昆布だし　本枯れ節・昆布だし	1.5	0	0.0	0.0	0.0	Tr	–	0.0
	豆腐サラダ		176	119	6.5	8.9	5.0	2.6	1.7	1.0
		絹ごし豆腐	100	56	5.3	3.5	2.0	0.9	1.0	Tr
		湯通し塩蔵わかめ　塩抜き	40	5	0.6	0.1	1.3	1.3	0.0	0.6
		リーフレタス　葉, 生	20	3	0.3	0.0	0.7	0.4	0.2	0.0
		ごま油	5	45	0.0	5.0	0.0	0.0	–	0.0
		穀物酢	7.5	3	0.0	0.0	0.2	0.0	–	0.0
		こいくちしょうゆ	3	2	0.2	0.0	0.2	Tr	0.0	0.4
		車糖　上白糖	0.5	2	0.0	0.0	0.5	0.0	0.5	0.0
		こしょう　白, 粉	0.0	0	0.0	0.0	0.0	–	0.0	0.0
		ごま　いり	0.5	3	0.1	0.3	0.1	0.1	0.0	0.0
	夕食合計		628	661	46.1	37.4	43.0	7.9	34.7	2.5
	1日合計		1535	1641	101.0	91.2	125.9	23.1	103.4	6.0

Tr：微量，－：未測定

糖質制限食10日目

	料理名	食品名	正味重量(g)	エネルギー(kcal)	タンパク質(g)	脂質(g)	炭水化物(g)	食物繊維総量(g)	糖質(g)	食塩相当量(g)
朝食	食パン（8枚切1枚）		53	169	4.0	8.5	20.9	1.9	21.7	0.5
		角型食パン	45	112	4.0	1.8	20.9	1.9	21.7	0.5
		無発酵バター　食塩不使用バター	8	58	0.0	6.6	0.0	0.0	0.0	0.0
	コールスローサラダ		132	203	12.1	14.0	9.1	3.5	5.3	1.1
		スイートコーン　缶詰　ホールカーネルスタイル	15	12	0.3	0.1	2.7	0.5	2.1	0.1
		まぐろ類　缶詰　油漬，フレーク，ライト	50	133	8.9	10.9	0.1	0.0	0.1	0.4
		めキャベツ　結球葉，生	50	26	2.8	0.1	5.0	2.8	2.1	0.0
		にんじん　根，皮なし，生	10	3	0.1	0.0	0.9	0.2	0.6	0.0
		オリーブ油	3	27	0.0	3.0	0.0	0.0	−	0.0
		穀物酢	2.5	1	0.0	0.0	0.1	0.0	0.1	0.0
		食塩	0.6	0	0.0	0.0	0.0	0.0	−	0.6
		車糖　上白糖	0.5	2	0.0	0.0	0.5	0.0	0.5	0.0
		こしょう　白，粉	0.05	0	0.0	0.0	0.0	−	−	0.0
	牛乳		200	122	6.6	7.6	9.6	0.0	9.4	0.2
		普通牛乳	200	122	6.6	7.6	9.6	0.0	9.4	0.2
	朝食合計		**385**	**494**	**22.7**	**30.1**	**39.6**	**5.4**	**36.4**	**2.0**
昼食	ご飯（70g）		70	109	1.8	0.2	26.0	1.1	26.7	0.0
		こめ　水稲めし　精白米　うるち米	70	109	1.8	0.2	26.0	1.1	26.7	0.0
	豚ロース肉のカツ		160	455	20.9	37.5	10.2	0.8	10.2	0.7
		豚肉　大型種　ロース　脂身つき，生	90	223	17.4	17.3	0.2	0.0	0.2	0.1
		食塩	0.2	0	0.0	0.0	0.0	0.0	−	0.2
		こしょう　白，粉	0.05	0	0.0	0.0	0.0	−	−	0.0
		小麦粉　薄力粉　1等	3	10	0.2	0.0	2.3	0.1	2.4	0.0
		鶏卵類　全卵　生	15	21	1.8	1.5	0.1	0.0	0.0	0.1
		パン粉　乾燥	8	30	1.2	0.5	5.1	0.3	5.5	0.1
		調合油	18	159	0.0	18.0	0.0	0.0	−	0.0
		キャベツ　結球葉，生	20	4	0.3	0.0	1.0	0.4	0.7	0.0
		パセリ　葉，生	0.5	0	0.0	0.0	0.0	0.0	0.0	0.0
		中濃ソース	5	7	0.0	0.0	1.5	0.1	1.3	0.3
	グリーンアスパラガスのソテー		143	111	12.9	5.7	4.8	2.7	1.7	0.7
		アスパラガス　若茎，生	75	16	2.0	0.2	2.9	1.3	1.6	0.0
		するめいか　生	60	46	10.7	0.5	0.1	0.0	0.1	0.3
		きくらげ　乾	2.5	5	0.2	0.1	1.8	1.4	0.1	0.0
		調合油	5	44	0.0	5.0	0.0	0.0	−	0.0
		食塩	0.4	0	0.0	0.0	0.0	0.0	−	0.4
		こしょう　白，粉	0.05	0	0.0	0.0	0.0	−	0.0	0.0
	なすのごま酢あえ		93	37	2.2	1.8	4.2	2.4	1.2	0.4
		なす　果実，生	40	7	0.4	0.0	2.0	0.9	1.0	0.0
		ほうれんそう　葉，生　通年平均	40	7	0.9	0.2	1.2	1.1	0.1	0.0
		ごま　いり	3	18	0.6	1.6	0.6	0.4	0.0	0.0
		こいくちしょうゆ	3	2	0.2	0.0	0.2	Tr	0.0	0.4
		穀物酢	5	2	0.0	0.0	0.1	0.0	−	0.0
		かつお・昆布だし　本枯れ節・昆布だし	1.5	0	0.0	0.0	0.0	Tr	−	0.0
	昼食合計		**465**	**712**	**37.8**	**45.2**	**45.2**	**7.0**	**39.8**	**1.8**
夕食	ご飯（70g）		70	109	1.8	0.2	26.0	1.1	26.7	0.0
		こめ　水稲めし　精白米　うるち米	70	109	1.8	0.2	26.0	1.1	26.7	0.0
	かれいの煮付		153	113	22.5	1.2	4.4	1.0	2.7	1.0
		まがれい　生	100	89	21.4	1.2	0.1	0.0	0.1	0.3
		しょうが　根茎，皮なし　生	1	0	0.0	0.0	0.1	0.0	0.0	0.0
		車糖　上白糖	1.5	6	0.0	0.0	1.5	0.0	1.6	0.0
		こいくちしょうゆ	5	4	0.4	0.0	0.4	Tr	0.1	0.7
		合成清酒	5	5	0.0	0.0	0.3	−	−	0.0
		いんげんまめ　さやいんげん　若ざや，生	40	9	0.7	0.0	2.0	1.0	0.9	0.0
	枝豆とエビの炒め物		193	239	24.4	11.3	11.9	4.4	7.3	1.1
		ブラックタイガー　養殖，生	80	62	14.7	0.2	0.2	0.0	0.2	0.3
		合成清酒	5	5	0.0	0.0	0.3	−	−	0.0
		食塩	0.2	0	0.0	0.0	0.0	0.0	−	0.2
		えだまめ　生	80	100	9.4	5.0	7.0	4.0	3.8	0.0
		根深ねぎ　葉，軟白，生	15	5	0.2	0.0	1.3	0.4	0.5	0.0
		しょうが　根茎，皮なし　生	2.5	1	0.0	0.1	0.2	0.1	0.1	0.0
		調合油	6	53	0.0	6.0	0.0	0.0	−	0.0
		固形コンソメ	1	2	0.1	0.0	0.4	0.0	−	0.4
		食塩	0.2	0	0.0	0.0	0.0	0.0	−	0.2
		こしょう　黒，粉	0.05	0	0.0	0.0	0.0	−	0.0	0.0
		じゃがいもでん粉	3	10	0.0	0.0	2.5	0.0	2.7	0.0
	もやしのカレー風味サラダ		94	51	1.9	4.0	2.6	1.4	1.2	0.3
		ブラックマッペもやし　生	80	14	1.8	Tr	2.2	1.2	1.1	Tr
		調合油	4	35	0.0	4.0	0.0	0.0	−	0.0
		カレー粉	0.1	0	0.0	0.0	0.1	0.0	−	0.0
		食塩	0.3	0	0.0	0.0	0.0	0.0	−	0.3
		サニーレタス　葉，生	10	2	0.1	0.0	0.3	0.2	0.1	0.0
	夕食合計		**510**	**512**	**50.6**	**16.7**	**44.9**	**7.9**	**37.9**	**2.4**
	1日合計		**1360**	**1718**	**111.1**	**91.9**	**129.7**	**20.3**	**114.1**	**6.2**

Tr：微量，−：未測定

食品の糖質量一覧

- 『日本食品標準成分表 2020 年版（八訂）』をもとに，「利用可能炭水化物（単糖当量）」を糖質量として記載した。「利用可能炭水化物（単糖当量）」の記載がない場合には，「利用可能炭水化物（差引き法）」の数値を糖質量として記載した。

  単糖当量を差引き法に優先して使用するのは，単糖当量が直接的な分析値の合算であるのに対し，差引き法では食物繊維の測定法（・定義）による差異の影響を受けるからである。

  また，「糖質」という四訂日本食品標準成分表において用いられた用語は，「利用可能炭水化物（差引き法）」（＝炭水化物－食物繊維）の概念に近いが，四訂成分表の糖質は，炭水化物から食物繊維，アルコール，タンニン，カフェイン，酢酸等を差し引いて求めていたため，差引き法による利用可能炭水化物と必ずしも同一とは言えない。

  しかし，「糖質」という用語がきわめて一般的に使用されていることに鑑み，あえて「利用可能炭水化物」ではなく，「糖質」という用語で重量を表記した。
- 100g 中（可食部）の糖質量。
- 「わかりやすく換算した糖質量の目安」は概算値。

  大さじ1＝15mL，小さじ1＝5mL，1カップ＝200mL，1膳＝150g（1膳の量は個人・店舗によりまったく異なるため，指導時に1膳の重量を患者ごとに確認したほうがよい）
- 食材・食品を「米，パン，麺，粉類，穀類など」「豆，大豆など」「ナッツ，種実類」「野菜，いも，きのこなど」「果物」「肉，卵など」「乳・乳製品」「魚介，海藻など」「調味料，油脂など」「そうざい，漬け物など」「菓子など」「ジュース・酒など飲料」のジャンル別にわけ，各五十音順に記載した。

資 料

米, パン, 麺, 粉類, 穀類など

米・ご飯	100g中の糖質量	わかりやすく換算した糖質量の目安
おにぎり	39.7g	40g（1個）
粥	16.2g	32g（1膳）
玄米（乾）	78.4g	
玄米（炊）	35.1g	53g（1膳）
白米（乾）	83.1g	
白米（炊）	38.1g	57g（1膳）
餅	50.0g	25g（1個）
パンなど	**100g中の糖質量**	**わかりやすく換算した糖質量の目安**
クロワッサン	52.3g	16.1g（1個）
コーンフレーク	89.9g	36g（1食40g）
食パン	48.2g	29.0g（6枚切り1枚）
ピザ生地	53.2g	106g（直径30cm）
フランスパン	63.9g	19g（1切れ）
ロールパン	49.7g	20g（1個）
麺類	**100g中の糖質量**	**わかりやすく換算した糖質量の目安**
うどん（乾）	76.8g	
うどん（ゆで）	21.4g	58g（1食270g）
スパゲッティ（乾）	73.4g	
スパゲッティ（ゆで）	31.3g	75g（1食240g）
そうめん（乾）	71.5g	
そうめん（ゆで）	25.6g	69g（1食270g）
そば（乾）	72.4g	
そば（ゆで）	27.0g	62g（1食230g）
中華麺（乾）	71.4g	
中華麺（ゆで）	27.7g	64g（1食230g）
粉類	**100g中の糖質量**	**わかりやすく換算した糖質量の目安**
片栗粉	89.8g	6g（大さじ1）
コーンスターチ	94.9g	8g（大さじ1）
小麦粉（薄力粉）	80.3g	
米粉	81.7g	
白玉粉（上新粉）	83.5g	
パン粉（乾）	68.5g	27g（1カップ）
パン粉（半生）	58.6g	
パン粉（生）	51.5g	
穀類, その他	**100g中の糖質量**	**わかりやすく換算した糖質量の目安**
あわ（乾）	69.6g	
板麩（焼）	55.9g	
なま麩	26.8g	
押し麦（乾）	72.4g	
押し麦（炊）	24.2g	
きび（乾）	71.5g	
餃子の皮	60.4g	3g（1枚）

豆, 大豆など

大豆以外の豆	100g中の糖質量	わかりやすく換算した糖質量の目安
小豆（ゆで）	18.2g	
インゲン豆（さやいんげん）	2.2g	0.2g（1本）
インゲン豆（ゆで）	17.3g	
えんどう豆（さやえんどう）	4.2g	0.1g（1枚）
えんどう豆（ゆで）	18.8g	
そら豆（ゆで）	13.2g	6g（10粒）
ひよこ豆（ゆで）	20.0g	
レンズ豆（ゆで）	23.3g	
大豆・大豆製品	100g中の糖質量	わかりやすく換算した糖質量の目安
油揚げ	0.5g	0.15g（1枚）
おから（乾）	2.2g	
おから（生）	0.6g	
がんもどき	2.2g	0.15g（1枚）
きな粉	7.1g	0.5g（大さじ1）
凍り豆腐（乾）	0.2g	
大豆（ゆで）	1.6g	
テンペ	10.2g	
豆乳（調整）	1.9g	4g（コップ1杯）
豆腐（絹ごし）	1.0g	1g（1丁）
豆腐（木綿）	0.8g	1g（1丁）
納豆	0.3g	0.1g（1パック）
生湯葉	1.1g	2g（1枚）
干し湯葉	2.7g	

ナッツ, 種実類

ナッツ, 種実	100g中の糖質量	わかりやすく換算した糖質量の目安
アーモンド（乾）	5.5g	0.6g（10個）
甘栗	43.9g	14g（5個）
ぎんなん（生）	33.4g	0.7g（1個）
栗（ゆで）	32.8g	7g（1個）
くるみ（煎り）	2.8g	0.6g（3個）
ココナッツパウダー	6.4g	
ココナッツミルク	9.4g	
ごま（煎り）	0.8g	
ピスタチオ（煎り・味付け）	8.2g	0.4g（10個）
マカダミア（煎り・味付け）	4.8g	1g（10個）
松の実（生）	4.0g	0.1g（10個）
落花生（煎り）	10.8g	1g（5個）
落花生（生）	9.5g	

資料

野菜，いも，きのこなど

野菜	100g中の糖質量	わかりやすく換算した糖質量の目安
アーティチョーク	1.0g	1g（1個）
アスパラガス	2.1g	0.6g（1本）
うど	2.9g	
枝豆（ゆで）	4.6g	1.2g（10さや）
大葉	1.0g	
おくら	1.9g	0.2g（1本）
かいわれ大根	2.0g	
かぼちゃ	8.3g	170g（1個）
カリフラワー	3.2g	13g（1株）
キャベツ	3.5g	35g（1個）
きゅうり	2.0g	4g（1本）
グリーンピース	12.8g	6g（10粒）
クレソン	0.5g	
ケール	1.2g	
小ねぎ	3.7g	0.09g（1本）
小松菜	0.3g	
サニーレタス	0.6g	
さやいんげん→「豆・大豆」参照		
さやえんどう→「豆・大豆」参照		
サンチュ	1.0g	
ししとう	1.2g	0.1g（1本）
春菊	0.4g	
ズッキーニ	2.3g	3g（1本）
セロリ	1.4g	1g（1本）
そら豆→「豆・大豆」参照		
たけのこ	1.4g	2g（1本）
チンゲン菜	0.4g	2g（1束）
冬瓜	2.7g	60g（1個）
とうもろこし	12.5g	25g（1本）
トマト	3.1g	4g（1個）
トマト（ホール缶）	3.6g	
ミニトマト	4.6g	0.5g（1個）
長ねぎ	3.6g	4g（1本）
なす	2.6g	3g（1本）
菜の花	2.5g	3g（1束）
にがうり	0.3g	
ニラ	1.7g	2g（1束）
白菜	2.0g	20g（1個）
バジル	0.3g	
パセリ	0.9g	
ピーマン（青）	2.3g	0.7g（1個）
ピーマン（赤）	5.3g	6g（1個）

ふき	1.7g	1.7g（1本）
ふきのとう	3.6g	0.4g（1個）
ブロッコリー	2.4g	5g（1株）
ほうれんそう	0.3g	0.8g（1束）
水菜	2.1g	3g（1束）
ミョウガ	0.5g	
芽キャベツ	4.2g	0.6g（1個）
もやし（アルファルファ）	0.3g	
もやし（大豆）	0.6g	
モロヘイヤ	0.1g	
ヤングコーン	4.2g	0.3g（1本）
ルッコラ	0g	
レタス	1.7g	8g（1個）
ミックスベジタブル（冷凍・ゆで）	21.1g	
根菜	**100g中の糖質量**	**わかりやすく換算した糖質量の目安**
かぶ	3.0g	3g（1個）
ごぼう	1.1g	2g（1本）
しょうが	4.2g	0.6g（1片）
大根	2.7g	22g（1本）
玉ねぎ	7.0g	14g（1個）
にんじん	5.9g	12g（1本）
にんにく	1.1g	0.1g（1片）
ビーツ	7.3g	20g（1個）
百合根	24.3g	
らっきょう	9.5g	
レタス	1.7g	
れんこん	14.2g	28g（1節）
わさび	14.0g	2g（大さじ1）
いも・いも加工品	**100g中の糖質量**	**わかりやすく換算した糖質量の目安**
板こんにゃく	0.1g	
さつまいも	31.0g	32g（1本）
さといも	11.2g	6g（1個）
しらたき	0.1g	
じゃがいも	15.5g	17g（1個）
タピオカ（ゆで）	15.1g	
長いも	14.1g	14g（5cm）
はるさめ（乾）	88.5g	
はるさめ（ゆで）	19.8g	
きのこ	**100g中の糖質量**	**わかりやすく換算した糖質量の目安**
えのきだけ	1.0g	1g（1束）
エリンギ	3.0g	3g（1パック）
きくらげ（乾）	2.7g	0.03g（1枚）
しいたけ	0.7g	
しいたけ（乾）	11.8g	0.6g（1枚）

資 料

なめこ	2.5g	0.5g（10個）
ぶなしめじ	1.4g	1g（1パック）
ほんしめじ	1.9g	
まいたけ	0.3g	

果物

果物	100g中の糖質量	わかりやすく換算した糖質量の目安
アボカド	0.8g	1g（1個）
いちご	6.1g	1g（1個）
いちじく	11.0g	8g（1個）
いちじく（乾）	62.7g	5g（1個）
オリーブ（塩漬・グリーン）	0g	
オレンジ	7.1g	16g（1個）
柿	13.3g	26g（1個）
柿（干し）	58.7g	20g（1個）
キウイフルーツ	9.6g	10g（1個）
グレープフルーツ	7.5g	16g（1個）
さくらんぼ（アメリカ産）	13.7g	1g（1個）
さくらんぼ（日本産）	14.2g	
シークワーサー（果汁）	7.6g	1g（大さじ1）
すいか	9.5g	11g（1切れ）
西洋なし	9.2g	18g（1個）
なし	8.3g	25g（1個）
ナタデココ	19.7g	6g（10個）
パイナップル	12.6g	2g（1切れ）
バナナ	19.4g	29g（1本）
パパイア	7.1g	36g（1個）
ぶどう	17.0g	40g（1房）
ぶどう（干し）	60.3g	5g（10粒）
ブルーベリー	8.6g	1g（10粒）
プルーン（干し）	42.2g	4g（1個）
マンゴー	13.8g	58g（1個）
みかん	9.2g	9g（1個）
メロン	9.6g	48g（1個）
桃（白肉）	8.4g	21g（1個）
桃（黄肉）	11.4g	
ゆず（果汁）	6.7g	1g（大さじ1）
ライチ	15.0g	3g（1個）
ラズベリー	5.6g	0.6g（5粒）
りんご	12.9g	39g（1個）
レモン	2.6g	2g（1個）
レモン（果汁）	1.5g	0.5g（大さじ1）

肉, 卵など

肉類	100g中の糖質量	わかりやすく換算した糖質量の目安
牛肉（レバー以外）	0〜0.7g	
牛肉（レバー）	3.7g	
鶏肉（各部位）	0〜0.6g	
豚肉（各部位）	0〜0.3g	
豚肉（とんかつ）	9.6〜15.6g	
羊肉（ラム）	0.1〜0.3g	
肉加工品	**100g中の糖質量**	**わかりやすく換算した糖質量の目安**
ウィンナー	3.4g	1g（1本）
唐揚げ	14.7g	
チキンナゲット	13.9g	3g（1個）
生ハム（長期熟成）	0.1g	
フォワグラ	1.5g	
ベーコン	1.3〜2.7g	
焼き豚	4.9g	1g（1枚）
レバーペースト	2.9g	
ロースハム	1.2g	0.3g（1枚）
卵	**100g中の糖質量**	**わかりやすく換算した糖質量の目安**
うずら卵（水煮）	0.3g	
鶏卵（生）	0.3g	
ピータン	0g	

乳・乳製品

乳・乳製品	100g中の糖質量	わかりやすく換算した糖質量の目安
牛乳	4.7g	10g（コップ1杯）
コーヒーホワイトナー	1.7g	0.1g（1個）
チーズ（カッテージ）	0.5g	
チーズ（カマンベール）	0g	
チーズ（クリーム）	2.5g	
チーズ（ゴーダ）	3.7g	
チーズ（シェーブル）	1.0g	
チーズ（パルメザン）	0g	
チーズ（ブルー）	0g	
チーズ（プロセス）	0.1g	
チーズ（マスカルポーネ）	3.6g	
チーズ（モッツァレラ）	0g	
チーズ（リコッタ）	6.7g	
生クリーム	2.9g	5g（1カップ）
ヨーグルト（全脂肪・無加糖）	3.9g	
ヨーグルト（無脂肪・無加糖）	4.3g	
ヨーグルト（脱脂・加糖）	11.7g	

資 料

魚介・海藻など

魚介，魚卵など	100g中の糖質量	わかりやすく換算した糖質量の目安
あじ	0.1g	
あゆ	0.1g	
あんこう（肝）	2.2g	
いか（やりいか）	0.4g	
いくら	0.2g	
いわし	0.2g	
ウニ	3.3g	0.2g（寿司1カン分）
えび（ブラックタイガー）	0.3g	
かに（ズワイ）	0.1g	
キャビア	1.1g	
さけ	0.1g	
さば	0.3g	
さんま	0.1g	
しらす干し	0.5g	
たい	0.1g	
たこ	0.1g	
ぶり	0.3g	
まぐろ	0.1g	
貝類	**100g中の糖質量**	**わかりやすく換算した糖質量の目安**
あかがい	3.5g	0.3g（寿司1カン分）
あさり	0.4g	
エスカルゴ（缶詰）	0.7g	0.1g（1個）
かき	2.5g	1g（1個）
しじみ	4.5g	0.2g（10個）
つぶがい	2.3g	0.2g（寿司1カン分）
とりがい	6.9g	0.4g（寿司1カン分）
はまぐり	1.8g	0.3g（1個）
ほたてがい（貝柱）	3.5g	5g（1個）
魚介加工品	**100g中の糖質量**	**わかりやすく換算した糖質量の目安**
うなぎ蒲焼	4.7g	3g（1枚）
かつお節	0.8g	
かまぼこ	8.9g	1.3g（1切れ）
さつま揚げ	14.6g	6g（1枚）
スモークサーモン	0.1g	
たらこ	0.4g	
ちくわ	13.8g	14g（1本）
はんぺん	11.5g	12g（1枚）
シーチキン缶詰	0.1g	
海藻類	**100g中の糖質量**	**わかりやすく換算した糖質量の目安**
粉寒天	0.1g	
のり（味付き）	14.3g	
のり（焼き）	1.9g	

ひじき（乾）	0.4g	
まこんぶ（乾）	0.1g	
めかぶ	0g	
もずく	0g	
わかめ（カット）	0g	

調味料，油脂など

基礎調味料	100g中の糖質量	わかりやすく換算した糖質量の目安
砂糖（グラニュー糖）	104.9g	13g（大さじ1）
砂糖（黒砂糖）	93.2g	8g（大さじ1）
砂糖（上白糖）	104.2g	9g（大さじ1）
砂糖（和三盆）	104.5g	10g（大さじ1）
塩	0g	
しょうゆ（濃口）	1.6g	0.3g（大さじ1）
しょうゆ（薄口）	2.6g	
しょうゆ（減塩）	1.3g	
しょうゆ（たまり）	18.5g	
酢（穀物酢）	2.4g	0.4g（大さじ1）
酢（米酢）	7.4g	1g（大さじ1）
酢（黒酢）	9.0g	
酢（バルサミコ）	16.4g	
ポン酢しょうゆ（市販品）	7.0g	
みそ（赤／辛みそ）	18.9g	2g（大さじ1）
みそ（白／甘みそ）	33.3g	6g（大さじ1）
みりん	39.9g	4.8g（大さじ1）
出汁（かつお）	0.3g	
出汁（昆布）	0.9g	
出汁（煮干し）	0g	
固形ブイヨン	40.8g	
顆粒中華だし	38.7g	
その他調味料，スパイスなど	100g中の糖質量	わかりやすく換算した糖質量の目安
ウスターソース	24.1g	5g（大さじ1）
オイスターソース	19.9g	3g（大さじ1）
お好み焼きソース	29.1g	
カレールウ	38.1g	
黒コショウ	42.3g	1g（小さじ1）
ごまだれ	20.7g	
酒粕	19.3g	
三杯酢	12.9g	3g（大さじ1）
酢味噌	26.3g	8g（大さじ1）
低糖質甘味料	0g	
とうがらし（粉）	74.5g	1g（小さじ1）
豆板醤	4.1g	0.7g（大さじ1）
トマトケチャップ	24.3g	4g（大さじ1）

はちみつ	75.3g	15g（大さじ1）
ハヤシルウ	46.3g	
マスタード（粒）	5.1g	1g（大さじ1）
メープルシロップ	66.3g	13g（大さじ1）
めんつゆ（ストレート）	8.9g	2g（大さじ1）
焼き鳥のタレ	19.1g	3.5g（大さじ1）
焼き肉のタレ	28.4g	5.3g（大さじ1）
油脂	100g中の糖質量	わかりやすく換算した糖質量の目安
オリーブ油	1.1g	
ごま油	1.9g	
なたね油	2.5g	
バター（有塩）	0.6g	
バター（無塩）	0.6g	
マヨネーズ（全卵型）	2.1g	
マヨネーズ（卵黄型）	0.5g	0.2g（大さじ1）
マヨネーズ（低カロリー型）	2.7g	
ラー油	2.3g	

そうざい，漬け物など

そうざい	100g中の糖質量	わかりやすく換算した糖質量の目安
えびフライ	22.1g	3g（1本）
かぼちゃクリームスープ	8.8g	
コーンクリームスープ	8.0g	
餃子	22.6g	4g（1個）
コロッケ（冷凍，ポテト）	27.4g	15g（1個）
コロッケ（カニクリーム）	23.2g	
しゅうまい	19.7g	
酢豚	6.8g	
肉じゃが	11.4g	
フライドポテト	23.6g	22g（Sサイズ）
麻婆豆腐	2.9g	
メンチカツ（冷凍）	23.0g	28g（1個）
ローストビーフ	1.4g	
漬け物など	100g中の糖質量	わかりやすく換算した糖質量の目安
オリーブ（塩漬・ブラック）	0g	
ガリ（ショウガ，甘酢漬）	8.6g	
キムチ	2.7g	3g（1回に食べる量）
昆布佃煮	25.5g	2g（1回に食べる量）
ザーサイ	0.5g	
福神漬け	29.4g	3g（1回に食べる量）
メンマ	0.6g	
ラッキョウ（甘酢漬）	26.5g	5g（1回に食べる量）

註：ガリ，ラッキョウ等については利用可能炭水化物(単糖当量)が0gとなっているものの味付けから考えて0gとは思われず，漬け物については基本的に利用可能炭水化物(差引き法)の数値を採用することとした。

資 料

菓子など

ケーキ，デザート菓子など	100g中の糖質量	わかりやすく換算した糖質量の目安
アイスクリーム（高脂肪）	18.1g	22g（1個）
アイスクリーム（ラクトアイス）	20.9g	40g（1個）
アップルパイ	39.5g	50g（1個）
カスタードプリン	14.5g	15g（1個）
コーヒーゼリー	14.8g	10g（1個）
シュークリーム	25.3g	27g（1個）
ショートケーキ（フルーツなし）	44.6g	26g（1個）
スポンジケーキ	52.8g	
ホットケーキ	47.4g	115g（2枚）
レアチーズケーキ	21.9g	20g（1個）
ワッフル（カスタードクリーム）	40.0g	15g（1個）
菓子パンなど	**100g中の糖質量**	**わかりやすく換算した糖質量の目安**
あんパン	51.6g	43g（1個）
あんまん	52.9g	39g（1個）
クリームパン	45.7g	44g（1個）
ドーナツ	45.2g	25g（1個）
メロンパン	60.6g	50g（1個）
和菓子	**100g中の糖質量**	**わかりやすく換算した糖質量の目安**
あられ	82.9g	25g（10個）
あん（こし生あん）	26.0g	
あん（こし練あん）	58.8g	
今川焼（あん）	50.6g	46g（1個）
今川焼（カスタード）	49.2g	
かしわもち	48.9g	29g（1個）
カステラ	65.7g	33g（1切れ）
かりんとう（黒）	77.3g	2g（1個）
きんつば	59.8g	42g（1個）
くずもち	24.7g	25g（1人分）
汁粉（粒あん）	41.0g	61g（1人分）
せんべい（醤油）	88.4g	13g（1枚）
大福	53.4g	51g（1個）
どら焼き	61.2g	41g（1個）
練り羊羹	73.9g	43g（1切れ）
蒸しまんじゅう	61.4g	31g（1個）
水羊羹	40.9g	33g（1個）
みたらしだんご	47.4g	26g（1本）
もなか	67.3g	25g（1個）
スナック，チョコレート	**100g中の糖質量**	**わかりやすく換算した糖質量の目安**
アーモンドチョコレート	40.1g	2g（1個）
甘栗	43.9g	14g（5個）
ガム	96.9g	2g（1個）
キャラメル	79.8g	3g（1個）
キャンディドロップ	103.8g	4g（1個）

資 料

クラッカー	64.2g	2g（1枚）
コーンスナック	66.4g	5g（10個）
さきいか	19.6g	5g（小1袋）
ジャイアントコーン（フライ）	67.8g	7g（10個）
バターピーナツ	8.9g	1g（10個）
ビスケット	78.0g	7g（1枚）
ポップコーン	59.5g	4g（30個）
ポテトチップス	51.8g	10g（10枚）
マロングラッセ	79.1g	
ミルクチョコレート	59.3g	35g（板チョコ1枚）

ジュース・酒など飲料

ジュースなど飲料	100g中の糖質量	わかりやすく換算した糖質量の目安
甘酒	18.3g	18g（湯のみ1杯）
ウーロン茶	0.1g	
オレンジジュース（濃縮還元）	7.9g	16g（コップ1杯）
グレープフルーツジュース（濃縮還元）	7.8g	16g（コップ1杯）
紅茶	0.1g	
コーヒー	0g	
コーヒー飲料（乳成分入り，加糖）	8.3g	
サイダー	9.0g	45g（500mL）
スポーツドリンク	5.1g	
せん茶	0.3g	
トマトジュース（食塩添加）	3.7g	6g（コップ1杯）
抹茶（粉末）	1.6g	
リンゴジュース（濃縮還元）	10.4g	
蒸留酒	100g中の糖質量	わかりやすく換算した糖質量の目安
ウイスキー	0g	
ウォッカ	0g	
焼酎	0g	
ジン	0g	
ブランデー	0g	
ラム	0g	
醸造酒	100g中の糖質量	わかりやすく換算した糖質量の目安
紹興酒	5.1g	3g（1杯）
日本酒（普通酒）	2.5g	5g（1合）
日本酒（純米吟醸酒）	2.5g	
ビール（黒）	3.5g	12g（350mL）
ビール（スタウト）	4.8g	0.4g（350mL）
ビール（淡色）	3.1g	
ワイン（赤）	0.2g	0.2g（1杯）
ワイン（白）	2.5g	1.1g（1杯）
ワイン（ロゼ）	2.5g	2.5g（1杯）
その他	100g中の糖質量	わかりやすく換算した糖質量の目安
梅酒	20.7g	10g（1杯）
スイートワイン	12.2g	5g（1杯）

索引

数字

1型糖尿病 **48, 71**
　糖質制限を行うメリット **71**
1日糖質量 **23**
2型糖尿病患者さんに対する
　血糖降下療法のアルゴリズ
　ム（ADA）**54**
2型糖尿病治療のアルゴリズム
　53
2型糖尿病の治療薬に求められ
　る要素 **53**

ギリシャ文字

αグルコシダーゼ阻害薬（αGI）
　66
β－ヒドロキシ酪酸（βOHB）
　29

欧文

A
ACCORD試験 **52**
ADA（米国糖尿病学会）のガイ
　ドライン **22**
A to Z試験 **15**
ATP（adenosine triphosphate）
　24

C
Cori回路 **26**

D
Diabetes UK（英国糖尿病学
　会）のガイドライン **22**
DIRECT試験 **13**
　減量効果 **14**

脂質プロファイル **14**
DPP-4阻害薬 **61**
Duke大学の無作為化比較試験
　16

E
eGFR **15**

F
FAS（fatty acid synthase）
　29
FFA（free fatty acid）**29**

G
G6Pase **26**
GLP-1受容体作動薬 **60**
glycogenolysis **26**

H
HbA1c **52, 121**
　──の改善 **18**
HDL（high density lipoprotein）
　30
Health Professionals' Follow-
　up Study **19**

I
IDL（intermediate density
　lipoprotein）**30**
Ischemic preconditioning（虚
　血耐性現象）**58**

J
JPHC（多目的コホート研究）
　22

L
LDL（low density
　lipoprotein）**30**
LDL-コレステロール **122**

M
MORE study **53**

N
n-3系 **28**
n-3系脂肪酸 **122**
n-6系 **28**
n-6系多価不飽和脂肪酸 **5**
NIPPON DATA 80 **21**
Nurses' Health Study **19**

P
PFC（タンパク質・脂質・炭水
　化物）バランス **38, 116**

Q
QOL **8**

S
Santosらによるメタ解析 **16**
　糖質制限食の有用性 **17**
Schwingshacklらによるネッ
　トワーク・メタ解析 **17**
SGLT2阻害薬 **9, 32, 72**
SU（スルホニル尿素）薬 **53, 70**
Swedish Women's Lifestyle
　and Health Cohort **19**

T
tachyphylaxis **62**

V
VLDL（very low density
　lipoprotein）**30**

和文

あ
アカルボース **67**
アデノシン三リン酸 **24**
アトキンスダイエット **117**

149

索引

アミノ酸　27
アミノ酸合成　26
アルコール飲料の糖質量　44

い

インクレチン関連薬　60
インスリン製剤　70
インスリン治療　69
インスリン注射　71
インスリン抵抗性　30, 53
インスリン抵抗性改善系　63
インスリン分泌機構　58
インスリン分泌促進系薬　57
インスリン分泌能とインスリン抵抗性の指標　55
インスリン分泌非促進系薬　63
インスリン分泌不全　53
一価不飽和脂肪酸（MUFA）　28, 122

う

運動療法　120

え

エネルギー制限食　2
英国糖尿病学会　22
栄養（学）指導　34, 73

お

オリゴ糖類　24
応用カーボカウント　50

か

カーボカウント　71
カナグリフロジン　69
カロリー制限食　2
外食　40
各糖尿病治療薬の評価　56
賢い不摂生　6

間食　23, 42
　　——向けの商品例とその糖質量　42
癌　47

き

ギリシャのコホート研究　20
北里研究所病院の無作為化比較試験　16
　　HbA1cとトリグリセリド（TG）の変化（6カ月間）　17
極端な糖質制限食　9, 10

く

グリコーゲン分解　26, 31
グリニド系薬　59, 70
グルコース　26
グレリン　6
空腹時血糖値　51
空腹時高血糖　55
果物の血糖値への影響　43

け

ケトアシドーシス　10, 32
ケトン体仮説　9
ケトン体産生食　10, 49
血中脂質　18
血糖依存性　60
血糖降下薬　70
　　——と低血糖のリスク　120
血糖値　31, 121
　　健常者の——の推移　51
血糖非依存性　57
顕性蛋白尿　47

こ

コレステロール　30

コンビニエンスストア　41
　　——で買える糖質10g以内の商品　42
高タンパク質食　31, 117
高脂質食　117
高糖質食品の重ね食い　80
行動変容　8

さ

三大栄養素　24
　　——の代謝と糖質制限食　24
三大栄養素比率　3

し

シグナル分子　30
シックデイ時の対処方法　119
脂質　24, 35
　　——の代謝マップ　25
脂質制限　4
脂肪酸合成酵素複合体　29
死亡率，糖質摂取が少ない集団における——　20
視床下部　6
主食の重ね食い　73
主食の単品食い　76, 78, 81
主食の糖質　39
初期指導のポイント　73
少糖類　24
小児　49
食後血糖値　51
食後高血糖　6, 55
食事記録　73
食事指導　7, 9
食事相談　73
食事の回数　122
食事療法　2

索引

食品交換表 **37**
食品成分表示 **44**
食品に含まれる糖質の目安 **36**
食物繊維 **35, 38**
植物性油脂 **5**
心血管イベント **21**
人工甘味料 **44**
腎機能 **47, 117**
腎症 **47**

す

スーパー糖質制限 **117**
スルホニル尿素（SU）薬 **57, 70**
膵β細胞のインスリン分泌機構 **58**

そ

総エネルギー摂取量 **2**
速効型インスリン分泌促進薬 **59**

た

タンパク質（栄養素）**24, 35**
多価不飽和脂肪酸（PUFA）**28**
多糖類 **24**
食べ順ダイエット **23**
代謝マップ **25**
体組成の恒常性 **31**
耐糖能異常 **46**
炭水化物 **24**
単糖類 **24**
蛋白質（体内物質）**27**
　　──の代謝マップ **25**
蛋白尿 **47**

ち

チアゾリジン（TZD）薬 **63**
中国のコホート研究 **21**

中性脂肪 **26, 29**
長鎖脂肪酸 **28**

て

デンプン **24**
手づくり菓子 **42**
低血糖 **70**
低脂質食 **31**
低糖質菓子類 **42**
定時に生じる低血糖 **120**

と

トホグリフロジン **69**
トリアシルグリセロール **26, 29**
糖吸収・排泄調節系 **66**
糖質 **24**
　　アルコール飲料の──量 **44**
　　食品に含まれる──の目安 **36**
　　──の多い食品 **36**
　　──の分類 **22**
　　──オフ **77**
「糖質が少ない」と勘違いしやすい食材 **123**
糖質制限指導事例 **73**
糖質制限時の運動療法 **120**
糖質制限食 **3**
　　──が死亡率に与える影響 **20**
　　──のエビデンス **12**
　　──の短期的効果 **57**
　　──の長期的効果 **57**
糖質制限の指導が困難な症例 **118**
糖質摂取が少ない集団における死亡率 **20**

糖質摂取量と心血管イベントの関係性 **21**
糖新生 **31**
糖尿病 **46**
糖尿病教育入院 **117**
糖尿病食事療法 **2**
糖尿病食事療法のための食品交換表 **34**
糖尿病治療の目的 **52**
糖尿病治療薬 **57**
　　──の評価 **56**
糖の代謝マップ **25**
動物性脂肪 **5**

な

ナテグリニド **60**
内臓脂肪 **121**
難治性てんかん **10, 49**

に

日本人2型糖尿病患者さんの特徴 **51**
認知症 **46**
妊婦 **49**

の

脳卒中 **5**

ひ

ビグアナイド薬 **65**
ピオグリタゾン **64**
肥満 **46**
必須脂肪酸 **28**
病院食 **118**

ふ

ふすま **35, 42**
ファストフード店別の外食ポイント **41**

索引

ブホルミン **66**
不摂生 **9**
不適応の解除 **47**
分枝鎖アミノ酸 **27**

へ
ペプチドYY **6**
米国糖尿病学会 **22**
便秘 **122**

ほ
ボグリボース **67**
補食 **121**
飽和脂肪酸 **5, 28**

ま
満腹中枢 **6**

み
ミグリトール **67**
ミチグリニド **60**

め
メタ解析 **20**
メタボリックシンドローム **46**
メタボリックドミノ **6**
メトホルミン **66**
免疫 **71**

ゆ
遊離脂肪酸 **29**
「緩やかな」糖質制限食 **2, 5, 34**
　——の定義 **23**

り
料理店別の外食ポイント **40**

れ
レパグリニド **60**

ろ
ロカボ **5, 23**
　——のポイント **7**
　継続困難の主な理由 **44**
ロカボ食 **34**
　——の料理構成例 **38**
ロコモティブシンドローム **46**

編著 山田　悟（やまだ さとる）
北里大学北里研究所病院 副院長・糖尿病センター長

1994年	3月	慶應義塾大学医学部卒業
同	4月	同・内科学教室入局
1996年	5月	東京都済生会中央病院
1997年	5月	東京都国保南多摩病院
1998年	5月	慶應義塾大学医学部内科学教室腎臓内分泌代謝研究室
2000年	1月	東京都済生会中央病院
2001年	1月	慶應義塾大学医学部内科学教室腎臓内分泌代謝研究室
2002年	1月	北里研究所病院
2007年	5月	糖尿病センター長
2013年	11月	食・楽・健康協会設立（兼業）
2021年	4月	院長補佐（兼務，のち2021年7月解務）
2021年	7月	副院長（兼務）

3版 糖尿病食事療法のベストチョイス
「緩やかな糖質制限」ハンドブック

定価（本体3,500円＋税）

2014年 5月12日　第1版発行
2014年 7月 8日　第1版2刷
2018年 1月22日　第2版
2022年 1月25日　第3版

編著者　山田　悟
発行者　梅澤俊彦
発行所　日本医事新報社
　　　　www.jmedj.co.jp
　　　　〒101-8718　東京都千代田区神田駿河台2-9
　　　　電話（販売）03-3292-1555　（編集）03-3292-1557
　　　　振替口座　00100-3-25171
印　刷　ラン印刷社

© Satoru Yamada 2022　Printed in Japan
ISBN978-4-7849-4428-6　C3047　¥3500E

・本書の複製権・翻訳権・上映権・譲渡権・公衆送信権（送信可能化権を含む）は
　（株）日本医事新報社が保有します。

JCOPY ＜（社）出版者著作権管理機構　委託出版物＞
本書の無断複写は著作権法上での例外を除き禁じられています。複写される場合は，そのつど事前に，（社）出版者著作権管理機構（電話 03-5244-5088，FAX 03-5244-5089，e-mail:info@jcopy.or.jp）の許諾を得てください。

電子版のご利用方法

巻末の袋とじに記載された**シリアルナンバー**で，本書の電子版を利用することができます。

手順①：日本医事新報社Webサイトにて**会員登録（無料）**
をお願い致します。
（既に会員登録をしている方は手順②へ）

日本医事新報社Webサイトの「Web医事新報かんたん登録ガイド」でより詳細な手順をご覧頂けます。
www.jmedj.co.jp/files/news/20180702_guide.pdf

手順②：登録後「**マイページ**」**に移動**してください。
www.jmedj.co.jp/mypage/

「マイページ」

マイページ中段の「電子コンテンツ」より
電子版を利用したい書籍を選び，
右にある「SN登録・確認」ボタン（赤いボタン）をクリック

表示された「電子コンテンツ」欄の該当する書名の
右枠にシリアルナンバーを入力

入力

下部の「確認画面へ」をクリック

「変更する」をクリック

会員登録（無料）の手順

1 日本医事新報社Webサイト（www.jmedj.co.jp）右上の「**会員登録**」**をクリック**してください。

クリック

2 サイト利用規約をご確認の上（1）「**同意する**」**にチェック**を入れ，（2）「**会員登録する**」**をクリック**してください。

3 （1）**ご登録用のメールアドレスを入力**し，（2）「**送信**」**をクリック**してください。登録したメールアドレスに確認メールが届きます。

4 確認メールに示された**URL（Webサイトのアドレス）をクリック**してください。

5 会員本登録の画面が開きますので，**新規の方は一番下の**「**会員登録**」**をクリック**してください。

6 会員情報入力の画面が開きますので，（1）**必要事項を入力**し（2）「**（サイト利用規約に）同意する**」**にチェック**を入れ，（3）「**確認画面へ**」**をクリック**してください。

7 会員情報確認の画面で入力した情報に誤りがないかご確認の上，「**登録する**」**をクリック**してください。

電子版のシリアルナンバーが記載されています

「緩やかな糖質制限」ハンドブック ③版

⚠ シリアルナンバーは書籍購入者のみに電子版閲覧権を付与する特典です。シリアルナンバーのみを他人に販売・譲渡すること，または，購入・譲り受けることはできません。フリマサイト等でのシリアルナンバーの売買が疑われる場合，フリマサイト運営者に対し，当該出品者・購入者の情報開示請求を行うとともに，該当者の電子版閲覧を停止致します。